真棒
ZHĒN BÀNG! 2

Workbook

2nd Edition

Senior Advisor

王昭華 Margaret M. Wong

Director of International Education / Chinese Instructor
Breck School, Minneapolis, MN

Lead Author

方虹婷 Tiffanty Fang

Master of Arts in Teaching Chinese as a Second Language

Contributing Writers

韩磊 Henry Han   郭亮吟 Glenda Kuo

EMC Publishing®

ST. PAUL, MINNESOTA

Associate Publisher
Alex Vargas

Editor
Henry Han

Cover Designer
Leslie Anderson

Assistant Editor
Yu-Han Chang

Care has been taken to verify the accuracy of information presented in this book. However, the authors, editors, and publisher cannot accept responsibility for Web, e-mail, newsgroup, or chat room subject matter or content, or for consequences from application of the information in this book, and make no warranty, expressed or implied, with respect to its content.

Credits: Photos and illustrations were provided by Live ABC Interactive Corporation.

We have made every effort to trace the ownership of all copyrighted material and to secure permission from copyright holders. In the event of any question arising as to the use of any material, we will be pleased to make the necessary corrections in future printings. Thanks are due to the aforementioned authors, publishers, and agents for permission to use the materials indicated.

ISBN 978-0-82198-825-1

© By EMC Publishing, LLC and LiveABC Interactive Corporation

875 Montreal Way
St. Paul, MN 55102
Email: educate@emcp.com
Website: www.emcschool.com

Printed in the United States of America

25 24 23 22 21 20 19   4 5 6 7 8 9 10

Table of Contents

Unit 1 Lesson A.. 1

Lesson B.. 8

Lesson C.. 15

Unit 2 Lesson A.. 21

Lesson B.. 30

Lesson C.. 36

Unit 3 Lesson A.. 43

Lesson B.. 50

Lesson C.. 57

Unit 4 Lesson A.. 64

Lesson B.. 71

Lesson C.. 77

Unit 5 Lesson A.. 85

Lesson B.. 91

Lesson C.. 97

Unit 6 Lesson A.. 103

Lesson B.. 109

Lesson C.. 116

Unit 1 Lesson A

1 Identify the circled body part by writing the name in both Chinese characters and Pinyin on the line provided.

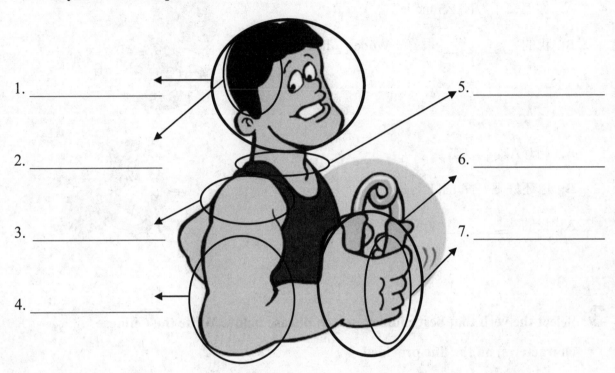

1. _____

2. _____

3. _____

4. _____

5. _____

6. _____

7. _____

2 Complete each sentence in Chinese using the illustrations provided. Write the Chinese characters on the lines below.

1. **A:** 你怎么不跳舞了？Nǐ zěnme bú tiàowǔ le?

   B: 我的 _____ 有点儿疼。Wǒde __ yǒudiǎnr téng.

2. **A:** 你哪里痛？Nǐ nǎlǐ tòng?

   B: 我 _____ 痛。Wǒ __ tòng.

名字：_____ 日期：_____

3. A: _____好酸。__ hǎo suān.

   B: 你走太多路了。Nǐ zǒu tài duō lù le.

4. A: 你怎么了？Nǐ zěnme le?

   B: 我的 _____ 很疼。Wǒde __ hěn téng.

5. A: 啊！A!

   B: 你还好吧？Nǐ hái hǎo ba?

   A: 我的 _____ 好痛！Wǒde __ hǎo tòng!

3 Select the verb that best completes each phrase below. Write the Chinese character(s) on the line provided.

| 念 niàn | 走 zǒu | 爬 pá | 练习 liànxí | 开始 kāishǐ | 锻炼 duànliàn |

1. _____ 路 lù   2. _____ 山 shān

3. _____ 书 shū   4. _____ 身体 shēntǐ

5. _____ 篮球 lánqiú   6. _____ 上课 shàngkè

4 Identify how much time was clocked on each stopwatch by writing the correct time in both Chinese characters and Pinyin on the lines provided.

1.   2.   3.   4.

＿＿＿＿＿＿＿   ＿＿＿＿＿＿＿   ＿＿＿＿＿＿＿   ＿＿＿＿＿＿＿

＿＿＿＿＿＿＿   ＿＿＿＿＿＿＿   ＿＿＿＿＿＿＿   ＿＿＿＿＿＿＿

5 Change the following sentences into questions by using 多久 *duō jiǔ* accurately.

Lìzi: 他去中国。 Tā qù Zhōngguó.

他去中国去了多久？ Tā qù Zhōngguó qùle duōjiǔ?

1. 你看书。 Nǐ kànshū.

＿＿＿＿＿＿＿＿＿＿＿＿＿＿＿＿＿＿＿＿＿＿＿＿＿＿＿＿＿＿

2. 他做这道菜。 Tā zuò zhèi dào cài.

＿＿＿＿＿＿＿＿＿＿＿＿＿＿＿＿＿＿＿＿＿＿＿＿＿＿＿＿＿＿

3. 你姐姐学跳舞。 Nǐ jiějie xué tiàowǔ.

＿＿＿＿＿＿＿＿＿＿＿＿＿＿＿＿＿＿＿＿＿＿＿＿＿＿＿＿＿＿

4. 他弟弟练习棒球。 Tā dìdi liànxí bàngqiú.

＿＿＿＿＿＿＿＿＿＿＿＿＿＿＿＿＿＿＿＿＿＿＿＿＿＿＿＿＿＿

6 Select the option that best completes each dialogue shown below. Record your choice on the line provided.

1. _____ **A:** 你怎么这么累？Nǐ zěnme zhème lèi?

   B: a. 我一点儿也不高兴。Wǒ yìdiǎnr yě bú gāoxìng.

   b. 我不喜欢这么累。Wǒ bù xǐhuān zhème lèi.

   c. 我有点儿不舒服。Wǒ yǒudiǎnr bù shūfu.

2. _____ **A:** 我不能打篮球。Wǒ bù néng dǎ lánqiú.

   B: a. 我也能跟你打。Wǒ yě néng gēn nǐ dǎ.

   b. 那我跟林强打。Nà wǒ gēn Lín Qiáng dǎ.

   c. 好，下午球场见。Hǎo, xiàwǔ qiúchǎng jiàn.

7 Match each question on the left with the correct response on the right.

1. _____ 你的家人喜欢做什么？
   Nǐde jiārén xǐhuan zuò shénme?

   A. 我跟朋友去爬山。
   Wǒ gēn péngyou qù páshān.

2. _____ 他上课上了多久？
   Tā shàngkè shàngle duōjiǔ?

   B. 他要上课，不能来。
   Tā yào shàngkè, bù néng lái.

3. _____ 你怎么了？
   Nǐ zěnme le?

   C. 我们全家都喜欢唱歌。
   Wǒmen quánjiā dōu xǐhuān chànggē.

4. _____ 晚上他能来练习网球吗？
   Wǎnshàng tā néng lái liànxí
   wǎngqiú ma?

   D. 他上了一个小时。
   Tā shàngle yíge xiǎoshí.

5. _____ 上个周末你做了什么？
   Shànggè zhōumò nǐ zuòle
   shénme?

   E. 我全身酸痛。
   Wǒ quánshēn suān tòng.

8 Unscramble the words and characters below to create complete sentences.

Lìzi: 喝 hē / 一杯 yìbēi / 我 wǒ / 果汁 guǒzhī

我喝一杯果汁。 Wǒ hē yìbēi guǒzhī.

1. 腿 tuǐ / 好酸 hǎo suān / 我 wǒ / 的 de，不 bù / 能 néng / 几乎 jīhū / 走路 zǒulù

_____

2. 饮料 yǐnliào / 每 měi / 这里 zhèli / 的 de / 种 zhǒng / 好喝 hǎohē / 都 dōu

_____

3. 好吃 hǎochī / 汉堡 hànbǎo / 这么 zhème / 这个 zhège / 怎么 zěnme

_____

4. 爸爸 bàba / 了 le / 三十 sānshí / 走路 zǒulù / 分钟 fēnzhōng / 走 zǒu

_____

5. 能 néng / 明天 míngtiān / 你 nǐ / 来 lái / 吃饭 chīfàn / 我家 wǒ jiā / 吗 ma

_____

6. 时候 shíhou / 周末 zhōumò / 的 de，会 huì / 我 wǒ / 爬山 páshān / 去 qù

_____

9 **Read the dialogue below and answer the questions that follow.**

李新 Lǐ Xīn：   方晴，你怎么这么晚到学校？Fāng Qíng, nǐ zěnme zhème wǎn dào

xuéxiào?

方晴 Fāng Qíng： 我现在全身疼，所以今天走得很慢。Wǒ xiànzài quánshēn téng, suǒyǐ

jīntiān zǒu de hěn màn.

李新 Lǐ Xīn：   你为什么全身疼？Nǐ wèishénme quánshēn téng?

方晴 Fāng Qíng： 昨天早上我和我爸妈去慢跑。Zuótiān zǎoshang wǒ hé wǒ bà-mā qù

mànpǎo.

李新 Lǐ Xīn：   只有慢跑你就全身疼啊？Zhǐyǒu mànpǎo nǐ jiù quánshēn téng a?

方晴 Fāng Qíng： 不是！昨天下午我还和我姐姐去跳舞，晚上又跟红英去游泳。Bú shì!

Zuótiān xiàwǔ wǒ hái hé wǒ jiějie qù tiàowǔ, wǎnshang yòu gēn Hóng

Yīng qù yóuyǒng.

李新 Lǐ Xīn：   哇！你做了这么多运动啊！Wa! Nǐ zuòle zhème duō yùndòng a!

方晴 Fāng Qíng： 是啊！所以现在全身又累又酸。Shì a! Suǒyǐ xiànzài quánshēn yòu lèi

yòu suān.

1. 方晴为什么晚到学校？ Fāng Qíng wèishénme wǎn dào xuéxiào?

    _____

2. 方晴昨天下午做了什么？ Fāng Qíng zuótiān xiàwǔ zuòle shénme?

    _____

3. 方晴和谁去游泳？ Fāng Qíng hé shéi qù yóuyǒng?

    _____

10   Complete the following sentences based on what you learned in the Culture
Window section of your student textbook.

1. Acupuncture means to insert a thin ＿＿＿＿＿＿＿＿＿＿ into the skin at various points of

the body to stimulate a corresponding body part.

2. Moxibustion uses ＿＿＿＿＿＿＿＿＿＿ as a stimulant.

3. It is believed that acupuncture was invented by ＿＿＿＿＿＿＿＿＿＿.

11   Answer the following questions based on your own experiences and opinions.

1. 你这个周末做了什么？ Nǐ zhèige zhōumò zuòle shénme?

＿＿＿＿＿＿＿＿＿＿＿＿＿＿＿＿＿＿＿＿＿＿＿＿＿＿＿＿＿＿＿＿

2. 你平常运动吗？ Nǐ píngcháng yùndòng ma?

＿＿＿＿＿＿＿＿＿＿＿＿＿＿＿＿＿＿＿＿＿＿＿＿＿＿＿＿＿＿＿＿

3. 你喜欢自己运动还是跟朋友一起运动？
Nǐ xǐhuan zìjǐ yùndòng háishì gēn péngyou yìqǐ yùndòng?

＿＿＿＿＿＿＿＿＿＿＿＿＿＿＿＿＿＿＿＿＿＿＿＿＿＿＿＿＿＿＿＿

4. 运动以后，你会不会全身酸痛？ Yùndòng yǐhòu, nǐ huì bú huì quánshēn suān tòng?

＿＿＿＿＿＿＿＿＿＿＿＿＿＿＿＿＿＿＿＿＿＿＿＿＿＿＿＿＿＿＿＿

Unit 1 Lesson B

1 Write each of the following items in correct Pinyin and draw a simple picture to illustrate the word. An example is provided for you.

Lìzi: 开心
kāixīn

1. 生气	2. 惊讶	3. 紧张	4. 累	5. 困

2 Circle the words you can find within the following wordfind chart. Write the words on the lines provided below. Note: Some words may share characters.

精 jīng	录 lù	记 jì	惊 jīng	讶 yà
神 shén	兴 xīng	紧 jǐn	张 zhāng	生 shēng
心 xīn	奋 fèn	不 bù	开 kā	气 qì
服 fu	舒 shū	觉 jiào	心 xīn	情 qíng
打 dǎ	瞌 kē	睡 shuì	担 dān	好 hǎo

Lìzi:

精神 jīngshén   1. _____

2. _____   3. _____

4. _____   5. _____

6. _____   7. _____

8. _____   9. _____

10. _____   11. _____

3 Circle the answer that best describes the corresponding picture.

1. 他很 Tā hěn ___
   A. 惊讶 jīngyà
   B. 生气 shēngqì

2. 他很 Tā hěn ___
   A. 紧张 jǐnzhāng
   B. 开心 kāixīn

3. 他很 Tā hěn ___
   A. 担心 dānxīn
   B. 兴奋 xīngfèn

4. 他们 Tāmen ___不好 bù hǎo.
   A. 心情 xīnqíng
   B. 精神 jīngshén

5. 他们在 Tāmen zài ___
   A. 睡觉 shuìjiào
   B. 打瞌睡 dǎ kēshuì

6. 他们很 Tāmen hěn ___
   A. 生气 shēngqì
   B. 惊讶 jīngyà

7. 他精神 Tā jīngshén ___
   A. 不好 bù hǎo
   B. 很好 hěn hǎo

8. 他们很 Tāmen hěn ___
   A. 担心 dānxīn
   B. 兴奋 xīngfèn

9. 他们 Tāmen ___
   A. 不舒服 bù shūfu
   B. 不累 bú lèi

4 Complete the dialogue using the words and characters provided in the box below.

> 才 cái　　就 jiù　　困 kùn　　别 bié　　瞌睡 kēshuì
>
> 睡觉 shuìjiào　　担心 dānxīn　　精神 jīngshén

A: 我好 (1) _____。Wǒ hǎo __.

B: 你的 (2) _____ 怎么这么不好？刚才上课的时候，还看到你在打 (3)

_____。

Nǐde __ zěnme zhème bù hǎo？Gāngcái shàngkè de shíhou, hái kàndào nǐ zài dǎ __.

A: 我昨天晚上念书念到三点 (4) _____ 睡。

Wǒ zuótiān wǎnshang niànshū niàndào sāndiǎn __ shuì.

B: 为什么你不早一点儿 (5) _____ 呢？Wèishénme nǐ bù zǎo yìdiǎnr __ ne?

A: 因为今天下午有英文考试，我很 (6) _____。你昨天晚上几点睡？

Yīnwèi jīntiān xiàwǔ yǒu Yīngwén kǎoshì, wǒ hě __. Nǐ zuótiān wǎnshàng jǐdiǎn shuì?

B: 我昨天晚上十一点 (7) _____ 睡了。

Wǒ zuótiān wǎnshàng shíyīdiǎn __ shuì le.

A: 怎么这么早？Zěnme zhème zǎo?

B: (8) _____ 这么惊讶，我上上个星期就开始念书了。

__ zhème jīngyà, wǒ shàng shàngge xīngqī jiù kāishǐ niànshū le.

5 The schedules of two different people are displayed below. Read the schedules and answer the questions that follow using the adverb 才 *cái* or 就 *jiù*.

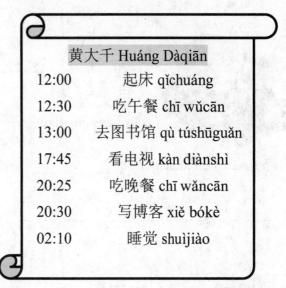

黄国伦 Huáng Guólún	
07:00	起床 qǐchuáng
07:30	慢跑 mànpǎo
08:40	吃早餐 chī zǎocān
12:30	吃午餐 chī wǔcān
14:30	去图书馆 qù túshūguǎn
18:00	吃晚餐 chī wǎncān
23:00	睡觉 shuìjiào

黄大千 Huáng Dàqiān	
12:00	起床 qǐchuáng
12:30	吃午餐 chī wǔcān
13:00	去图书馆 qù túshūguǎn
17:45	看电视 kàn diànshì
20:25	吃晚餐 chī wǎncān
20:30	写博客 xiě bókè
02:10	睡觉 shuìjiào

1. 黄国伦几点起床？黄大千呢？ Huáng Guólún jǐ diǎn qǐchuáng? Huáng Dàqiān ne?

   _____

2. 黄国伦几点去图书馆？黄大千呢？ Huáng Guólún jǐ diǎn qù túshūguǎn? Huáng Dàqiān ne?

   _____

3. 黄国伦几点吃晚餐？黄大千呢？ Huáng Guólún jǐ diǎn chī wǎncān? Huáng Dàqiān ne?

   _____

4. 黄国伦几点睡觉？黄大千呢？ Huáng Dàqiān jǐ diǎn shuìjiào? Huáng Dàqiān ne?

   _____

6 Complete each sentence using the words provided and the preposition 到 *dào* to describe what you see in the picture.

早上九点
zǎoshàng jiǔ diǎn

晚上七点
wǎnshàng qīdiǎn

1. 陈先生 Chén xiānsheng _____

_____

2. 哥哥 Gēge _____

中午
zhōngwǔ

很晚
hěn wǎn

博客
bókè

3. 我们 Wǒmen _____

_____

4. 弟弟 Dìdi _____

下午五点
xiàwǔ wǔ diǎn

晚上一点
wǎnshàng yì diǎn

5. 他们 Tāmen _____

_____

6. 王老师 Wáng lǎoshī _____

_____

7 Unscramble the words and characters below to create complete sentences.

1. 时候 shíhou / 别 bié / 上课 shàngkè / 打瞌睡 dǎ kēshuì / 的 de

   _____

2. 呢 ne / 你 nǐ / 精神 jīngshén / 这么 zhème / 的 de / 怎么 zěnme / 好 hǎo

   _____

3. 很 hěn / 我 wǒ / 惊讶 jīngyà / 了 le / 球队 qiúduì / 这个 zhèi ge / 输 shū

   _____

4. 他 tā / 睡 shuì / 到 dào / 很 hěn / 写 xiě / 才 cái / 博客 bókè / 写 xiě / 晚 wǎn

   _____

5. 纪录 jìlù / 照片 zhàopiàn / 我 wǒ / 这些 zhèxiē / 的 de / 生活 shēnghuó

   _____

6. 不 bù / 生气 shēngqì / 妈妈 māma / 心情 xīnqíng / 好 hǎo / 的 de / 容易 róngyì /
   时候 shíhou

   _____

8 Complete the following sentences based on what you learned in the Culture Window section of your student textbook.

1. In China, the most commonly used instant messaging software is _____.

2. The two most popular networking sites in China are _____ and _____.

3. The Chinese version of Twitter is _____.

9 Translate the following sentences into English.

1. 他练习棒球练习到下午三点才吃饭。
    Tā liànxí bàngqiú liànxídào xiàwǔ sān diǎn cái chīfàn.

    _____

2. 爸爸精神不好，所以八点就睡了。
    Bàba jīngshén bù hǎo, suǒyǐ bā diǎn jiù shuì le.

    _____

10 Answer the following questions based on your own experiences and opinions.

1. 你常常很晚才睡觉吗？为什么？ Nǐ chángcháng hěn wǎn cái shuìjiào ma? Wèishénme?

    _____

2. 心情不好的时候，你做什么？ Xīnqíng bù hǎo de shíhou, nǐ zuò shénme?

    _____

Unit 1 Lesson C

1 **Select the verb that best completes each phrase below. Record your choice on the line provided. Answers may be used more than once.**

量 liáng	拉 lā	打 dǎ	看 kàn
塞 sāi	痛 tòng	流 liú	吃 chī

1. ＿＿＿＿＿＿ 鼻涕 bítì

2. ＿＿＿＿＿＿ 体温 tǐwēn

3. ＿＿＿＿＿＿ 医生 yīshēng

4. ＿＿＿＿＿＿ 肚子 dùzi

5. ＿＿＿＿＿＿ 药 yào

6. ＿＿＿＿＿＿ 针 zhēn

7. ＿＿＿＿＿＿ 喷嚏 pēntì

8. 喉咙 hóulóng ＿＿＿＿＿＿

9. 鼻 bí ＿＿＿＿＿＿

2 **Transcribe the following sentences into Pinyin.**

1. 我感冒了。

＿＿＿＿＿＿＿＿＿＿＿＿＿＿＿＿＿＿＿＿＿＿＿＿＿＿＿＿＿＿＿＿＿＿＿＿＿＿

2. 他的身体很健康。

＿＿＿＿＿＿＿＿＿＿＿＿＿＿＿＿＿＿＿＿＿＿＿＿＿＿＿＿＿＿＿＿＿＿＿＿＿＿

3. 生病的时候要多休息。

＿＿＿＿＿＿＿＿＿＿＿＿＿＿＿＿＿＿＿＿＿＿＿＿＿＿＿＿＿＿＿＿＿＿＿＿＿＿

4. 除了头痛以外，我还全身无力。

＿＿＿＿＿＿＿＿＿＿＿＿＿＿＿＿＿＿＿＿＿＿＿＿＿＿＿＿＿＿＿＿＿＿＿＿＿＿

3 **Identify the facial feature shown and write the name in both Chinese characters and Pinyin on the line provided.**

1. _____

2. _____

3. _____

4. _____

5. _____

4 Select the option that best completes each dialogue shown below. Record your choice on the line provided.

1. ＿＿ **A:** 我觉得身体不舒服。Wǒ juéde shēntǐ bù shūfu.

   B: a. 我带你去医院吧。Wǒ dài nǐ qù yīyuàn ba.

   b. 你最好每天运动。Nǐ zuìhǎo měi tiān yùndòng.

   c. 你每天都要吃药。Nǐ měi tiān dōu yào chī yào.

2. ＿＿ **A:** 医生，我应该注意什么？Yīshēng, wǒ yīnggāi zhùyì shénme?

   B: a. 你应该去医院。Nǐ yīnggāi qù yīyuàn.

   b. 感冒的时候要去诊所。Gǎnmào de shíhou yào qù zhěnsuǒ.

   c. 回家以后，要多休息。Huíjiā yǐhòu, yào duō xiūxi.

3. ＿＿ **A:** 我需要打针吗？Wǒ xūyào dǎzhēn ma?

   B: a. 我怕打针。Wǒ pà dǎzhēn.

   b. 不用，吃药就可以了。Búyòng, chī yào jiù kěyǐ le.

   c. 你一天要量一次体温。Nǐ yì tiān yào liáng yí cì tǐwēn.

4. ＿＿ **A:** 你一天吃几次药？Nǐ yìtiān chī jǐ cì yào?

   B: a. 一天三次。Yìtiān sān cì.

   b. 早餐以前吃一次药。Zǎocān yǐqián chī yícì yào.

   c. 我会注意吃药的时间。Wǒ huì zhùyì chī yào de shíjiān.

5. ＿＿ **A:** 你怎么了？Nǐ zěnme le?

   B: a. 我很健康。Wǒ hěn jiànkāng.

   b. 我拉肚子。Wǒ lā dùzi.

   c. 我在吃药。Wǒ zài chī yào.

5 Look at the illustrations below and answer the questions that follow.

1. 谁的症状最多？有哪些症状？Shéi de zhèngzhuàng zuì duō? Yǒu nǎxiē zhèngzhuàng?

_____

2. 谁的症状是拉肚子？Shéi de zhèngzhuàng shì lā dùzi?

_____

3. 只有两个症状的是谁？Zhǐyǒu liǎng ge zhèngzhuàng de shì shéi?

_____

6 Unscramble the words and characters below to create complete sentences.

1. 晕晕 yūnyūn / 我 wǒ / 一点儿 yìdiǎnr / 头 tóu / 有 yǒu / 觉得 juéde / 的 de

   _____

2. 一下 yíxià / 等 děng，比赛 bǐsài / 了 le / 就 jiù / 快 kuài / 结束 jiéshù / 很 hěn

   _____

3. 晚 wǎn / 已经 yǐjīng / 了 le / 很 hěn，马上 mǎshàng / 你 nǐ / 回家 huíjiā / 最好 zuìhǎo

   _____

4. 眼睛 yǎnjīng / 的 de / 你 nǐ / 不 bù / 好 hǎo，看 kàn / 少 shǎo / 应该 yīnggāi /
   电视 diànshì

   _____

5. 吃 chī / 你 nǐ / 多 duō / 最好 zuìhǎo / 水果 shuǐguǒ，健健康康 jiànjiànkāngkāng /
   就 jiù / 身体 shēntǐ / 的 de / 会 huì

   _____

6. 太 tài / 奶奶 nǎinai / 身体 shēntǐ / 的 de / 不 bú / 好 hǎo，次 cì / 两 liǎng / 月 yuè /
   所以 suǒyǐ / 她 tā / 去 qù / 一个 yí ge / 医院 yīyuàn / 得 děi

   _____

7 **Complete the following sentences based on what you learned in the Culture Window section of your student textbook.**

1. Chinese traditional medicine is also known as _____ medicine.

2. Chinese traditional medicine consists of _____, _____, and _____ treatments.

3. The four *qi* in Chinese medicine are _____, _____, _____, and _____.

8 **Answer the following questions based on your own experiences and opinions.**

1. 看东西看太久的时候，你的眼睛会不会酸酸的？
   Kàn dōngxi kàn tài jiǔ de shíhou, nǐde yǎnjīng huì bú huì suānsuān de?

   _____

2. 感冒的时候，你去医院看病吗？
   Gǎnmào de shíhou, nǐ qù yīyuàn kànbìng ma?

   _____

3. 感冒的时候，你常有哪些症状？
   Gǎnmào de shíhou, nǐ cháng yǒu něixiē zhèngzhuàng?

   _____

Unit 2 Lesson A

1 Select the verb from the box that best completes each sentence below. Write the Chinese character on the line provided.

上 shàng	化 huà	吃 chī	洗 xǐ	吹 chuī	刷 shuā	做 zuò

1. 妈妈吃饭以后就 _____ 牙。Māma chīfàn yǐhòu jiù __ yá.

2. 想睡觉的时候，可以去 _____ 脸。Xiǎng shuìjiào de shíhou, kěyǐ qù __ liǎn.

3. 姐姐每天都要 _____ 妆。Jiějie měi tiān dōu yào __ zhuāng.

4. 饿死我了，我们去 _____ 夜宵吧！È sǐ wǒ le, wǒmen qù __ yèxiāo ba!

5. 天气很冷，你快一点儿 _____ 头发，小心感冒。

   Tiānqì hěn lěng, nǐ kuài yìdiǎnr __ tóufa, xiǎoxīn gǎnmào.

6. 他肚子痛，去 _____ 厕所了。Tā dùzi tòng, qù __ cèsuǒ le.

7. 弟弟忘记_____ 功课就睡了。Dìdi wàngjì __ gōngkè jiù shuì le.

2 Read the sentences below and determine whether the person speaking is in a hurry.

On the line provided, write Y if the person is in a hurry, or N if the person is not.

1. _____ 我肚子痛，得马上去厕所。 Wǒ dùzi tòng, děi mǎshàng qù cèsuǒ.

2. _____ 急死我了，公交车怎么还不来？ Jí sǐ wǒ le, gōngjiāochē zěnme hái bù lái?

3. _____ 我今天睡了一天，都没有事情做。 Wǒ jīntiān shuìle yìtiān, dōu méiyǒu shìqing zuò.

4. _____ 你怎么这么慢？火车就要开了。 Nǐ zěnme zhème màn? Huǒchē jiùyào kāi le.

5. _____ 我每天晚上洗澡以后才睡觉。 Wǒ měi tiān wǎnshang xǐzǎo yǐhòu cái shuìjiào.

6. _____ 我早上没有时间换衣服就出门了。 Wǒ zǎoshàng méiyǒu shíjiān huàn yīfu jiù chūmén le.

3 Create the routes for each of the vehicles on the following page. The vehicle cannot back up and must take any turn that appears in its path. One path has been completed for you. Trace the routes that each vehicle must take and then complete the sentences that follow.

Lìzi: 她搭出租车 ___去医院___ 。Tā dā chūzūchē ___qù yīyuàn___ .

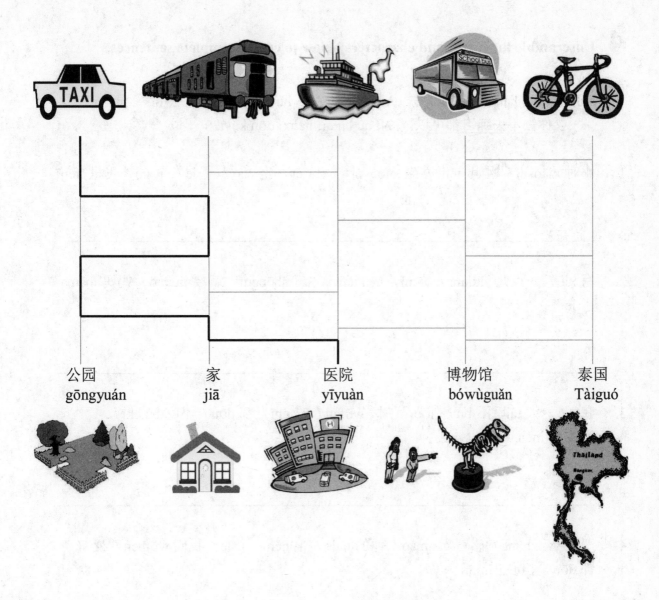

公园
gōngyuán

家
jiā

医院
yīyuàn

博物馆
bówùguǎn

泰国
Tàiguó

1. 爸爸 _____ 去泰国。

    Bàba ___ qù Tàiguó.

2. 他们坐校车 _____。

    Tāmen zuò xiàochē ___.

3. 江小姐 _____ 去博物馆。

    Jiāng xiǎojie ___ qù bówùguǎn

4. 我们 _____去公园。

    Wǒmen ___ qù gōngyuán.

4 Unscramble the words and characters below to create complete sentences.

Lìzi: 练习 liànxí / 你 nǐ / 去 qù / 都 dōu / 不 bú / 可以 kěyǐ / 去 qù

<u>你去不去练习都可以。</u> Nǐ qù bú qù liànxí dōu kěyǐ.

1. 小时 xiǎoshí / 姐姐 jiějie / 坐 zuò / 十二 shí'èr / 坐 zuò / 了 le / 个 ge / 飞机 fēijī

_____

2. 写 xiě / 一点儿 yìdiǎnr / 你 nǐ / 快 kuài, 生气 shēngqì / 就要 jiùyào / 妈妈 māma / 了 le

_____

3. 我 wǒ / 太 tài / 不 bú / 饿 è, 午饭 wǔfàn / 吃 chī / 都 dōu / 不吃 bù chī / 没关系 méiguānxi

_____

4. 严重 yánzhòng / 感冒 gǎnmào / 他的 tāde / 很 hěn, 了 le / 我们 wǒmen / 死 sǐ / 都 dōu / 担心 dānxīn

_____

5. 皮鞋 píxié / 了 le / 刚 gāng / 湿 shī / 买 mǎi / 的 de, 好 hǎo / 难怪 nánguài / 不 bù / 他 tā / 心情 xīnqíng

_____

5

Based on the illustrations, complete the sentences by describing how the time was spent. Be sure to use the word 了 *le* in your responses.

 10:20~14:20

她做功课做了四个小时了。Tāzuò gōngkè zuòle sì ge xiǎoshí le.

 21:50~22:00    15:40~17:00

1. 爷爷 Yéye _____   2. 哥哥 Gēge _____

_____   _____

 19:30~20:00    9:45~10:20

3. 妹妹 Mèimei _____   4.爸爸 Bàba _____

_____   _____

 18:25~19:15    7:10~7:55

5. 谢老师 Xiè lǎoshī _____   6. 弟弟 Dìdi _____

_____   _____

6 **Based on the illustrations, complete each sentence using the pattern**

就要...了 *jiùyào...le* and the words provided.

Lìzi: 开 kāi  你快一点儿，火车__就要开了__。

 来 lái

 结束 jiéshù

1. 别玩了，老师 Bié wán le, lǎoshī

2. 这场比赛 Zhèi chǎng bǐsài

_____

_____

 吃晚饭 chī wǎnfàn

 下课 xiàkè

3. 我们回家吧！马上
Wǒmen huíjiā ba! Mǎshàng

4. 数学课 Shùxuékè

_____

_____

睡 shuì

 出门 chūmén

5. 已经很晚了，他 Yǐjīng hěn wǎn le, tā

6. 换衣服以后，爸爸 Huàn yīfu yǐhòu, bàba

_____

_____

7 Read the dialogue below and answer the questions that follow.

高华 Gāo Huá: 你怎么现在才来？已经九点了，我等你等了半个小时。 Nǐ zěnme xiànzài
cái lái? Yǐjīng jiǔ diǎn le, wǒ děng nǐ děngle bàn ge xiǎoshí.

李青 Lǐ Qīng: 对不起，对不起。 Duìbuqǐ, duìbuqǐ.

高华 Gāo Huá: 为什么这么晚？我快饿死了。 Wèishéme zhème wǎn? Wǒ kuài è sǐ le.

李青 Lǐ Qīng: 你别生气，虽然我昨天晚上做功课做到两点才睡觉，但是今天早上七点
三十分就起床。刷牙洗脸以后，我换衣服和吹头发。八点十五分我要出
门的时候，觉得肚子痛死了，所以就去上厕所，上了三十分钟才出门。
出门以后，我等公交车等了二十分钟，车子才来。 Nǐ bié shēngqì, suīrán wǒ
zuótiān wǎnshang zuò gōngkè zuòdào liǎng diǎn cái shuìjiào, dànshì jīntiān
zǎoshang qī diǎn sānshí fēn jiù qǐchuáng. Shuā yá xǐ liǎn yǐhòu, wǒ huàn yīfu
hé chuī tóufa. Bā diǎn shíwǔ fēn wǒ yào chūmén de shíhou, juéde dùzi tòng sǐ
le, suǒyǐ jiù qù shàng cèsuǒ, shàngle sānshí fēnzhōng cái chūmén. Chūmén
yǐhòu, wǒ děng gōngjiāochē děngle èrshí fēnzhōng, chēzi cái lái.

高华 Gāo Huá: 你这么急，难怪穿拖鞋来。 Nǐ zhème jí, nánguài chuān tuōxié lái.

李青 Lǐ Qīng: 唉呀！怎么会这样？我应该穿皮鞋出门啊！ Āiyā! Zěnme huì zhèyàng?
Wǒ yīnggāi chuān píxié chūmén a!

高华 Gāo Huá: 没关系，你穿不穿皮鞋都好看。 Méiguānxi, nǐ chuān bù chuān píxié dōu
hǎokàn.

李青 Lǐ Qīng: 谢谢你，那我们快去吃早饭吧！ Xièxie nǐ, nà wǒmen kuài qù chī zǎofàn ba!

1. 高华几点到？ Gāo Huá jǐdiǎn dào?

   _____

2. 李青昨天睡了多久？ Lǐ Qīng zuótiān shuìle duōjiǔ?

   _____

3. 李青出门以前做了什么事？ Lǐ Qīng chūmén yǐqián zuòle shénme shì?

   _____

4. 李青什么时候肚子痛？ Lǐ Qīng shénme shíhou dùzi tòng?

   _____

5. 李青穿什么鞋出门？ Lǐ Qīng chuān shénme xié chūmén?

   _____

6. 高华觉得李青穿拖鞋怎么样？ Gāo Huá juéde Lǐ Qīng chuān tuōxié zěnmeyàng?

   _____

7. 他们要去做什么？ Tāmen yào qù zuò shénme?

   _____

8 **Select the best answer for each question based on what you learned in the Culture Window section of your student textbook.**

1. _____ Which of the following is acceptable for a female Chinese student to have/wear?

   A. high heels   B. make-up   C. long hair

2. _____ What language is spoken in most Chinese schools?

   A. Mandarin   B. Cantonese   C. local dialect

3. _____ What is the appropriate way for a student to enter a teacher's office?

   A. Enter silently with head bowed and wait to be addressed by the teacher

   B. Knock on the door and wait for an invitation

   C. Call out the teacher's name and wait for an invitation

9 **Answer the following questions based on your own experiences and opinions.**

1. 朋友迟到你会不会生气？为什么？ Péngyou chídào nǐ huì bú huì shēngqì? Wèishénme?

   _____

2. 你通常什么时候洗澡？ Nǐ tōngcháng shénme shíhou xǐzǎo?

   _____

3. 你最常坐哪种交通工具？ Nǐ zuì cháng zuò něi zhǒng jiāotōng gōngjù?

   _____

Unit 2 Lesson B

1 Circle the words you can find within the following wordfind chart. Write the words on the lines provided below.

摄 shè	话 huà	剧 jù	乐 yuè	志 zhì	家 jiā
影 yǐng	音 yīn	社 shè	团 tuán	愿 yuàn	艺 yì
工 gōng	打 dǎ	动 dòng	我 wǒ	者 zhě	术 shù
童 tóng	子 zǐ	军 jūn	好 hǎo	舞 wǔ	蹈 dào

Lizi:

＿摄影　shèyǐng＿

1. ＿＿＿＿＿＿＿　2. ＿＿＿＿＿＿＿

3. ＿＿＿＿＿＿＿　4. ＿＿＿＿＿＿＿

5. ＿＿＿＿＿＿＿　6. ＿＿＿＿＿＿＿

7. ＿＿＿＿＿＿＿　8. ＿＿＿＿＿＿＿

2 Select the option that best describes each llustration below. Record your choice on the line provided.

保姆 bǎomǔ	家教 jiājiào	服务员 fúwùyuán

1.＿＿＿＿＿＿＿＿＿　2.＿＿＿＿＿＿＿＿＿　3.＿＿＿＿＿＿＿＿＿

3 **Select the option that best completes each dialogue shown below. Record your choice on the line provided.**

1. ____ **A:** 你哥哥在哪里打工？　 Nǐ gēge zài nǎli dǎgōng?

　　　　B:　a. 他是服务员。　 Tā shì fúwùyuán.

　　　　　　b. 在学校餐厅。　 Zài xuéxiào cāntīng.

　　　　　　c. 他去合唱团。　 Tā qù héchàngtuán.

2. ____ **A:** 你想去哪个社团？　 Nǐ xiǎng qù něi ge shètuán?

　　　　B:　a. 我想去书店打工。　 Wǒ xiǎng qù shūdiàn dǎgōng.

　　　　　　b. 我忘记这件事了。　 Wǒ wàngjì zhèi jiàn shì le.

　　　　　　c. 摄影社好像不错。　 Shèyǐngshè hǎoxiàng búcuò.

3. ____ **A:** 明天晚上你可以帮我照顾小孩吗？　 Míngtiān wǎnshàng nǐ kěyǐ bāng wǒ zhàogù xiǎohái ma?

　　　　B:　a. 你是保姆吗？　 Nǐ shì bǎomǔ ma?

　　　　　　b. 好啊！我有空。　 Hǎo a! Wǒ yǒu kòng.

　　　　　　c. 我忘记了。　 Wǒ wàngjì le.

4. ____ **A:** 下午你要不要跟我一起去舞蹈社？　 Xiàwǔ nǐ yào bú yào gēn wǒ yìqǐ qù wǔdàoshè?

　　　　B:　a. 如果你喜欢跳舞，就去舞蹈社。　 Rúguǒ nǐ xǐhuan tiàowǔ, jiù qù wǔdàoshè.

　　　　　　b. 舞蹈社很忙，每天都要练习。　 Wǔdàoshè hěn máng, měi tiān dōu yào liànxí.

　　　　　　c. 虽然我有空，但是我不想去社团。　 Suīrán wǒ yǒu kòng, dànshì wǒ bù xiǎng qù shètuán.

5. ____ **A:** 星期六早上记得给他打电话。　 Xīngqīliù zǎoshang jìde gěi tā dǎ diànhuà.

　　　　B:　a. 要是我记得的话，就会打。　 Yàoshì wǒ jìde dehuà, jiù huì dǎ.

　　　　　　b. 别担心，我会记得给你打电话。　 Bié dānxīn, wǒ huì jìde gěi nǐ dǎ diànhuà.

　　　　　　c. 可是我妈妈不让我出去。　 Kěshì wǒ māma bú ràng wǒ chūqù.

4 Combine the following sentences using the pattern 虽然... 但是... *suīrán... dànshì....*

Lìzi: 这条裤子很好看。这条裤子太短了。

Zhèi tiáo kùzi hěn hǎokàn. Zhèi tiáo kùzi tài duǎn le.

<u>虽然这条裤子很好看，但是太短了。</u>

Suīrán zhèi tiáo kùzi hěn hǎokàn, dànshì tài duǎn le.

1.   力仁精神不好。力仁不想睡觉。

Lìrén jīngshén bù hǎo. Lìrén bù xiǎng shuìjiào.

_____

2.   弟弟身体不舒服。弟弟还是去上学。

Dìdi shēntǐ bù shūfu. Dìdi háishì qù shàngxué.

_____

3.   妹妹上学就要迟到了。妹妹不想起床。

Mèimei shàngxué jiùyào chídào le. Mèimei bù xiǎng qǐchuáng.

_____

4.   李思汉很忙。李思汉还是去手机店打工。

Lǐ Sīhàn hěn máng. Lǐ Sīhàn háishì qù shǒujīdiàn dǎgōng.

_____

5.   林太太是妈妈。林太太不太会照顾小孩。

Lín tàitai shì māma. Lín tàitai bú tài huì zhàogù xiǎohái.

_____

5 Create complete sentences using the information provided and the pattern
要是... 就... *yàoshì... jiù....*

你喜欢唱歌 nǐ xǐhuan chànggē / 去合唱团 qù héchàngtuán

要是你喜欢唱歌，就去合唱团。 Yàoshì

nǐ xǐhuān chànggē, jiù qù héchàngtuán.

你很累 nǐ hěn lèi / 睡觉 shuìjiào

1. _____

_____

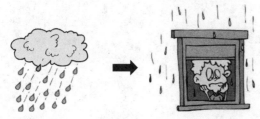

下雨 xiàyǔ / 弟弟不能出去玩 dìdi bù néng chūqù wán

2. _____

很热 hěn rè / 我们吃冰淇淋 wǒmen chī bīngqílín

3. _____

你放学 nǐ fàngxué / 给爸爸打电话 gěi bàba dǎ diànhuà

4. _____

_____

哥哥有空 gēge yǒu kòng / 请他照顾小孩 qǐng tā zhàogù xiǎohái

5. _____

_____

6 Select the best answer for each question based on what you learned in the Culture Window section of your student textbook.

1. _____ Students taking the NHEEE can choose from two different categories. Which of the following is not a category of the NHEEE?

   A. humanities　　B. sciences　　C. languages

2. _____ What subject is included in both versions of the NHEEE?

   A. science　　B. math　　C. history

3. _____ In which month is the National Higher Education Entrance Exam (NHEEE) held in China?

   A. September　　B. January　　C. June

7 Answer the following questions based on your own experiences and opinions.

1. 你去社团吗？你去什么社团？　Nǐ qù shètuán ma? Nǐ qù shénme shètuán?

   _____

2. 你的朋友打工吗？他们做什么？　Nǐde péngyou dǎgōng ma? Tāmen zuò shénme?

   _____

3. 你常常帮家人做什么事？　Nǐ chángcháng bāng jiārén zuò shénme shì?

   _____

4. 你常常给朋友打电话吗？　Nǐ chángcháng gěi péngyou dǎ diànhuà ma?

   _____

8 **Unscramble the words and characters below to create complete sentences.**

Lìzi: 忘记 wàngjì / 弟弟 dìdi / 功课 gōngkè / 写 xiě / 总是 zǒngshì

弟弟总是忘记写功课。 Dìdi zǒngshì wàngjì xiě gōngkè.

1. 星期 xīngqī / 上个 shàngge / 生病 shēngbìng / 了 le / 他 tā / 又 yòu

_____

2. 很 hěn / 我 wǒ / 累 lèi / 是 shì，因为 yīnwèi / 事情 shìqing / 多 duō / 了 le / 太 tài

_____

3. 下雨 xiàyǔ / 虽然 suīrán / 了 le，还是 háishì / 出去 chūqù / 我 wǒ / 要 yào / 玩 wán

_____

4. 记得 jìde / 我 wǒ / 是 shì / 记得 jìde，没有 méiyǒu / 做 zuò / 但是 dànshì / 空 kòng /
去 qù

_____

5. 的 de / 话 huà / 冷 lěng / 天气 tiānqì / 如果 rúguǒ / 很 hěn，就 jiù / 吧 ba /
我们 wǒmen / 吃 chī / 去 qù / 火锅 huǒguō

_____

Unit 2 Lesson C

1 Identify the type of movie each person appears to be watching. Choose from the list on the right and write your selection on the line provided.

1. _____   A. 喜剧片 xǐjùpiàn

2. _____   B. 恐怖片 kǒngbùpiàn

3. _____   C. 浪漫爱情片 làngmàn àiqíngpiàn

4. _____   D. 悲剧片 bēijùpiàn

2 **Read each sentence below and select the type of movie being described. Record your choice on the line provided.**

悲剧片 bēijùpiàn   卡通片 kǎtōngpiàn   纪录片 jìlùpiàn

恐怖片 kǒngbùpiàn   喜剧片 xǐjùpiàn

1. ＿＿＿＿＿ 看了这部电影以后，我知道韩国的历史了。

     Kànle zhèibù diànyǐng yǐhòu, wǒ zhīdào Hánguó de lìshǐ le.

2. ＿＿＿＿＿ 这部电影真好笑！Zhèibù diànyǐng zhēn hǎoxiào!

3. ＿＿＿＿＿ 我七岁的妹妹很喜欢看这部可爱的电影。

     Wǒ qīsuì de mèimei hěn xǐhuan kàn zhèibù kěài de diànyǐng.

4. ＿＿＿＿＿ 我不喜欢这部电影，我觉得太恐怖了。

     Wǒ bù xǐhuan zhèibù diànyǐng, wǒ juéde tài kǒngbù le.

5. ＿＿＿＿＿ 每次看这部电影，我都会哭，心情也很不好。

     Měicì kàn zhèibù diànyǐng, wǒ dōu huì kū, xīnqíng yě hěn bù hǎo.

3 **Match each question on the left with the correct response on the right.**

1. ＿＿＿＿＿ 你什么时候去日本？   A. 没什么，只是精神不好。

             Nǐ shénme shíhou qù Rìběn?   Méi shénme, zhǐshì jīngshén bù hǎo.

2. ＿＿＿＿＿ 你怎么了？   B. 什么电影我都喜欢。

             Nǐ zěnme le?   Shénme diànyǐng wǒ dōu xǐhuan.

3. ＿＿＿＿＿ 你喜欢看什么电影？   C. 下个星期三。

             Nǐ xǐhuan kàn shénme   Xiàge Xīngqīsān.

             diànyǐng?

4 Select the option that best completes each dialogue shown below. Record your choice on the line provided.

1. ____ **A：** 你收到吴老师的邮件了吗？ Nǐ shōu dào Wú lǎoshī de yóujiàn le ma?

   B： a. 我忘记发了。　Wǒ wàngjì fā le.

   b. 我已经写了邮件。　Wǒ yǐjīng xiěle yóujiàn.

   c. 我还没看到。　Wǒ hái méi kàndào.

2. ____ **A：** 你等一下会上网吗？　Nǐ děng yíxià huì shàngwǎng ma?

   B： a. 十五分钟。Shíwǔ fēnzhōng?

   b. 怎么了？Zěnme le?

   c. 没什么。　Méi shénme.

3. ____ **A：** 哥哥喜欢什么运动？　Gēge xǐhuan shénme yùndòng?

   B： a. 他最近没有空运动。　Tā zuìjìn méiyǒu kòng yùndòng.

   b. 他什么运动都喜欢。　Tā shénme yùndòng dōu xǐhuan.

   c. 他只是不喜欢走路。　Tā zhǐshì bù xǐhuan zǒulù.

4. ____ **A：** 记得等一下给他发短信。　Jìde děng yíxià gěi tā fā duǎnxìn.

   B： a. 我不知道他什么时候会收到。

   　　Wǒ bù zhīdào tā shénme shíhou huì shōudào.

   b. 我的手机有点儿问题。　Wǒde shǒujī yǒu diǎnr wèntí.

   c. 我等一下没有空上网。　Wǒ děng yíxià méiyǒu kòng shàngwǎng.

5. ____ **A：** 你不吃牛肉吗？　Nǐ bù chī niúròu ma?

   B： a. 对，除了牛肉，我什么都吃。　Duì, chúle niúròu, wǒ shénme dōu chī.

   b. 对，这间餐厅没有牛肉吗？　Duì, zhèi jiān cāntīng méiyǒu niúròu ma?

   c. 对，你吃不吃牛肉都可以。　Duì, nǐ chī bù chī niúròu dōu kěyǐ.

6. ____ **A：** 什么电影好看？　Shénme diànyǐng hǎokàn ?

   B： a. 爱情片太肉麻了。　Àiqíngpiàn tài ròumá le.

   b. 我只是想看电影。　Wǒ zhǐshì xiǎng kàn diànyǐng.

   c. 我觉得科幻片不错。　Wǒ juéde kēhuànpiàn búcuò.

5 The chart below lists the showtimes of movies in a movie theater. Use the information in the chart to answer the questions that follow.

真棒电影院 - 电影时刻表 Zhēn Bàng diànyǐngyuàn - diànyǐng shíkè biǎo					
最新电影 zuì xīn diànyǐng	12 / 25	12 / 26	12 / 27	12 / 28	12 / 29
恐怖图书馆 Kǒngbù túshūguǎn 片长：2 小时 10 分	10:00 13:15 17:30 22:30	11:20 15:40 19:10 21:50	10:50 14:20 18:10 21:00	12:05 16:35 20:25 22:50	10:05 12:55 15:30 18:40
小兔子的旅行 Xiǎo tùzi de lǚxíng 片长：1 小时 30 分	11:20 15:40 19:10 21:50	12:05 16:35 20:25 22:50	10:50 14:20 18:10 21:00	10:05 12:55 15:30 18:40	10:00 13:15 17:30 22:30
功夫排球 Gōngfu páiqiú 片长：2 小时 30 分	10:50 14:20 18:10 21:00	10:05 12:55 15:30 18:40	10:00 13:15 17:30 22:25	11:20 15:40 19:10 21:50	12:05 16:35 20:25 23:50
您好，中国 Nínhǎo, Zhōngguó 片长：1 小时 55 分	10:05 12:55 15:30 18:40	10:50 14:20 18:10 21:00	12:05 16:35 20:25 22:50	10:00 13:15 17:30 22:30	11:20 15:40 19:10 21:50
喂！我喜欢你 Wèi! Wǒ xǐhuan nǐ 片长：2 小时 05 分	12:05 16:35 20:25 22:50	10:00 13:15 17:30 23:30	10:50 14:20 18:10 21:00	11:20 15:40 19:10 21:50	10:05 12:55 15:30 18:40
再见，亲爱的外婆 Zàijiàn, qīn'ài de wàipó 片长：2 小时 15 分	10:05 12:55 15:30 18:40	11:20 15:40 19:10 21:50	12:05 16:35 20:25 22:50	10:50 14:20 18:10 21:00	10:00 13:15 17:30 22:30

名字: _____   日期: _____

1. 哪部电影最长？时间是多久？　Něi bù diànyǐng zuì cháng? Shíjiān shì duōjiǔ?

   _____

2. 哪部电影应该是卡通片？　Něi bù diànyǐng yīnggāi shì kǎtōngpiàn?

   _____

3. 十二月二十五日那天，哪部电影最晚结束？几点几分结束？
   Shí'èr yuè èrshíwǔ rì nèi tiān, něi bù diànyǐng zuì wǎn jiéshù? Jǐ diǎn jǐ fēn jiéshù?

   _____

4. 如果你喜欢让人觉得紧张的电影，你可以看哪部片？
   Rúguǒ nǐ xǐhuan ràng rén juéde jǐnzhāng de diànyǐng, nǐ kěyǐ kàn něi bù piàn?

   _____

5. "喂！我喜欢你"可能(probably)是什么片？
   "Wèi! Wǒ xǐhuan nǐ" kěnéng shì shénme piàn?

   _____

6. 喜欢看纪录片的人，可以看哪部电影？
   Xǐhuan kàn jìlùpiàn de rén, kěyǐ kàn něi bù diànyǐng?

   _____

7. 你想在十二月二十七日去看电影，但是你晚上十点半以后才有空，那你可以看哪部片？　Nǐ xiǎng zài Shí'èr yuè èrshíqī rì qù kàn diànyǐng, dànshì nǐ wǎnshang shí diǎn bàn yǐhòu cái yǒu kòng, nà nǐ kěyǐ kàn něi bù piàn?

   _____

6 Rewrite each sentence using the pattern 除了...以外，都... *chúle…yǐwài, dōu….*

Lìzi: 我喜欢喝饮料，但是我不喜欢咖啡。
Wǒ xǐhuan hē yǐnliào, dànshì wǒ bù xǐhuan kāfēi.
除了咖啡以外，什么饮料我都喜欢。
Chúle kāfēi yǐwài, shénme yǐnliào wǒ dōu xǐhuan.

1. 我喜欢看电影，但是我不看科幻片。
Wǒ xǐhuan kàn diànyǐng, dànshì wǒ bú kàn kēhuànpiàn.

＿＿＿＿＿＿＿＿＿＿＿＿＿＿＿＿＿＿＿＿＿＿＿＿＿＿＿＿＿＿＿＿＿＿＿

2. 哥哥会很多种运动，但是他不会打篮球。
Gēge huì hěn duō zhǒng yùndòng, dànshì tā bú huì dǎ lánqiú.

＿＿＿＿＿＿＿＿＿＿＿＿＿＿＿＿＿＿＿＿＿＿＿＿＿＿＿＿＿＿＿＿＿＿＿

3. 爸爸喜欢吃肉，但是他不吃鸭肉。
Bàba xǐhuan chī ròu, dànshì tā bù chī yāròu.

＿＿＿＿＿＿＿＿＿＿＿＿＿＿＿＿＿＿＿＿＿＿＿＿＿＿＿＿＿＿＿＿＿＿＿

4. 弟弟对社团很有兴趣，但是他不喜欢合唱团。
Dìdi duì shètuán hěn yǒu xìngqù, dànshì tā bù xǐhuan héchàngtuán.

＿＿＿＿＿＿＿＿＿＿＿＿＿＿＿＿＿＿＿＿＿＿＿＿＿＿＿＿＿＿＿＿＿＿＿

5. 姐姐去了很多地方，但是她没有去日本。
Jiějie qùle hěn duō dìfāng, dànshì tā méiyǒu qù Rìběn.

＿＿＿＿＿＿＿＿＿＿＿＿＿＿＿＿＿＿＿＿＿＿＿＿＿＿＿＿＿＿＿＿＿＿＿

7 Select the best answer for each question based on what you learned in the Culture Window section of your student textbook.

1. _____ How do people typically watch movies in China today?

   A. on large screens outdoors   B. in modern movie theaters

   C. in private clubs and restaurants

2. _____ Which of the following is a traditional form of entertainment in China?

   A. watching movies in theaters   B. going to a cross talk show

   C. attending an opera that features music by Mozart

3. _____ Which of the following is not a famous Chinese movie star?

   A. Jet Li   B. Gong Li   C. Zhang Yimou

8 Answer the following questions based on your own experiences and opinions.

1. 你喜欢看电影吗? 你喜欢什么电影?
   Nǐ xǐhuan kàn diànyǐng ma? Nǐ xǐhuan shénme diànyǐng?

   _____

2. 你上网都做什么? 你每天上网多久?
   Nǐ shàngwǎng dōu zuò shénme? Nǐ měi tiān shàngwǎng duōjiǔ?

   _____

3. 你什么时候会给朋友发短信?
   Nǐ shénme shíhou huì gěi péngyou fā duǎnxìn?

   _____

Unit 3 Lesson A

1 Choose from the box to match each word with its opposite on the line.

1. _____ 高 gāo

2. _____ 胖 pàng

3. _____ 冷淡 lěngdàn

4. _____ 内向 nèixiàng

5. _____ 害羞 hàixiū

6. _____ 女生 nǚshēng

开朗 kāilǎng

男生 nánshēng

矮 ǎi

热情 rèqíng

外向 wàixiàng

瘦 shòu

2 Choose the best ending for each sentence based on the illustration provided.

1. 李文是 _____。Lǐ Wén shì __.
   A. 女的 nǚde   B. 男的 nánde

2. 方庆是 _____。Fāng Qìng shì __.
   A. 女人 nǚrén   B. 男人 nánrén

3. 李文比较 _____。Lǐ Wén bǐjiào __.
   A. 高 gāo   B. 矮 ǎi

4. 方庆比李文 _____。Fāng Qìng bǐ Lǐ Wén __.
   A. 瘦 shòu   B. 胖 pàng

李文
Lǐ Wén

方庆
Fāng Qìng

3 Complete the sentences below using the preposition 比 *bǐ* and the words provided to describe what you see in each picture.

Lìzi: 害羞 hàixiū

热情 rèqíng

冷淡 lěngdàn

<u>男的比女的害羞。</u>

<u>Nánde bǐ nǚde hàixiū.</u>

1. 男的 Nánde _____

_____

2. 女的 Nǚde _____

壮 zhuàng

矮 ǎi

苗条 miáotiáo

3. 男的 Nánde _____

_____

4. 女的 Nǚde _____

5. 女的 Nǚde _____

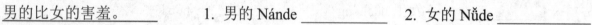
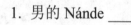

4 Complete the sentences below using the particle 得 *de* and the words provided to describe what you see in each picture.

Lìzi:

念书
niànshū
很困
hěn kùn

<u>弟弟念书念得很困</u>

<u>Dìdi niànshū niànde hěn kùn.</u>

看电视
kàn diànshì
很兴奋
hěn xīngfèn

1. 哥哥 Gēge _____

_____

化妆
huàzhuāng
很久
hěn jiǔ

2. 她们 Tāmen _____

_____

骑自行车
qí zìxíngchē
很快
hěn kuài

3. 程钧 Chéng Jūn _____

_____

锻炼身体
duànliàn shēntǐ
很结实
hěn jiēshi

4. 李刚 Lǐ Gāng _____

_____

走路
zǒulù
很累
hěn lèi

5. 郑祥 Zhèng Xiáng _____

_____

5 Unscramble the words and characters below to create complete sentences.

Lìzi: 篮球 lánqiú / 我 wǒ / 打 dǎ / 会 huì

我会打篮球。 Wǒ huì dǎ lánqiú.

1. 我 wǒ / 得 de / 上网 shàngwǎng / 比 bǐ / 久 jiǔ / 上 shàng / 你 nǐ

＿＿＿＿＿＿＿＿＿＿＿＿＿＿＿＿＿＿＿＿＿＿＿＿＿＿＿＿

2. 得多 de duō / 坐 zuò / 快 kuài / 飞机 fēijī / / 比 bǐ / 自行车 zìxíngchē / 骑 qí

＿＿＿＿＿＿＿＿＿＿＿＿＿＿＿＿＿＿＿＿＿＿＿＿＿＿＿＿

3. 身体 shēntǐ / 的 de / 哥哥 gēge / 健康 jiànkāng / 得 de / 锻练 duànliàn / 很 hěn

＿＿＿＿＿＿＿＿＿＿＿＿＿＿＿＿＿＿＿＿＿＿＿＿＿＿＿＿

4. 国际学生 guójì xuésheng / 那么 nàme / 英文 yīngwén / 没有 méiyǒu / 好 hǎo / 我的 wǒde / 的 de

＿＿＿＿＿＿＿＿＿＿＿＿＿＿＿＿＿＿＿＿＿＿＿＿＿＿＿＿

5. 游泳 yóuyǒng / 会 huì / 吗 ma / 你 nǐ ？ 去 qù / 一起 yìqǐ / 游泳 yóuyǒng / 改天 gǎitiān / 吧 ba

＿＿＿＿＿＿＿＿＿＿＿＿＿＿＿＿＿＿＿＿＿＿＿＿＿＿＿＿

6. 星期 xīngqī / 功课 gōngkè / 一样 yíyàng / 多 duō / 的 de / 跟 gēn / 星期 xīngqī / 上个 shàngge / 这个 zhèige

＿＿＿＿＿＿＿＿＿＿＿＿＿＿＿＿＿＿＿＿＿＿＿＿＿＿＿＿

6 Describe your physical appearance and personality. Use as much vocabulary from this lesson as possible.

Describe the physical appearance and personality of a friend in the space below. Use as much vocabulary from this lesson as possible.

7 **Rewrite each sentence using the negative comparative pattern** 没有．．．这么
méiyǒu...zhème **and the words provided.**

Lìzi:	爸爸比妈妈高。 Bàba bǐ māma gāo.
	<u>妈妈没有爸爸这么高。</u> Māma méiyǒu bàba zhème gāo.

1. 今天比昨天热。Jīntiān bǐ zuótiān rè.

   ＿＿＿＿＿＿＿＿＿＿＿＿＿＿＿＿＿＿＿＿＿＿＿＿＿＿＿＿＿＿＿＿＿

2. 妹妹比我外向。Mèimei bǐ wǒ wàixiàng.

   ＿＿＿＿＿＿＿＿＿＿＿＿＿＿＿＿＿＿＿＿＿＿＿＿＿＿＿＿＿＿＿＿＿

3. 我的腿比腰酸。Wǒde tuǐ bǐ yāo suān.

   ＿＿＿＿＿＿＿＿＿＿＿＿＿＿＿＿＿＿＿＿＿＿＿＿＿＿＿＿＿＿＿＿＿

4. 他的中文比我的好。Tāde Zhōngwén bǐ wǒde hǎo.

   ＿＿＿＿＿＿＿＿＿＿＿＿＿＿＿＿＿＿＿＿＿＿＿＿＿＿＿＿＿＿＿＿＿

5. 恐怖片比科幻片好看。Kǒngbùpiàn bǐ kēhuànpiàn hǎokàn.

   ＿＿＿＿＿＿＿＿＿＿＿＿＿＿＿＿＿＿＿＿＿＿＿＿＿＿＿＿＿＿＿＿＿

6. 女生的个性比男生害羞。Nǚshēng de gèxìng bǐ nánshēng hàixiū.

   ＿＿＿＿＿＿＿＿＿＿＿＿＿＿＿＿＿＿＿＿＿＿＿＿＿＿＿＿＿＿＿＿＿

8 **Answer the following questions based on what you learned in the Culture Window section of your student textbook.**

1. How are sports schools different from ordinary schools?

    _____

2. How do sports schools customize each student's curriculum?

    _____

3. Why do some people criticize sports schools?

    _____

9 **Answer the following questions based on your own experiences and opinions.**

1. 你和你中文课的同学都很熟吗？　Nǐ hé nǐ Zhōngwén kè de tóngxué dōu hěn shú ma?

    _____

2. 你的朋友里，男的多还是女的多？　Nǐde péngyou lǐ, nánde duō háishì nǚde duō?

    _____

3. 你是不是热情的人？　Nǐ shì bú shì rèqíng de rén?

    _____

Unit 3 Lesson B

1 Look at the drawings below and fill in the details of the relationship between the boy in the middle and the others around him.

学长 xuézhǎng   学姐 xuéjiě   学弟 xuédì   学妹 xuémèi

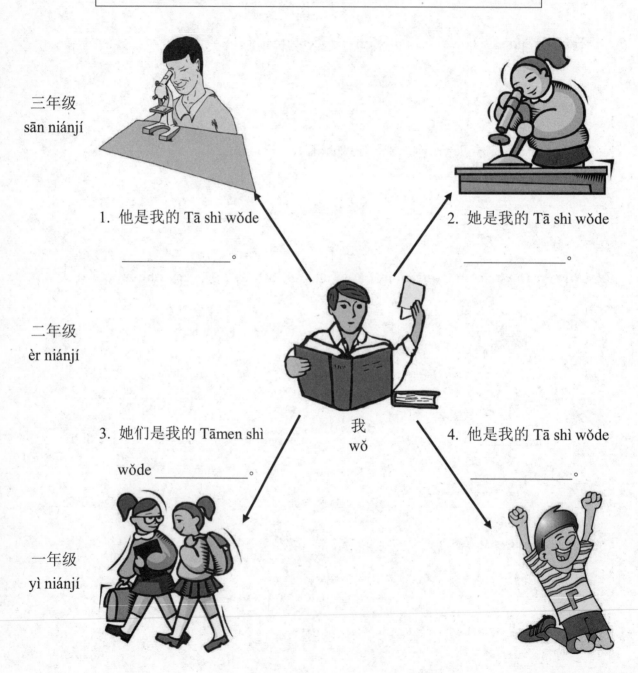

三年级
sān niánjí

1. 他是我的 Tā shì wǒde

_____ 。

2. 她是我的 Tā shì wǒde

_____ 。

二年级
èr niánjí

我
wǒ

3. 她们是我的 Tāmen shì

wǒde _____ 。

4. 他是我的 Tā shì wǒde

_____ 。

一年级
yì niánjí

2 **Select the option that best completes each dialogue shown below. Record your choice on the line provided.**

1. _____ **A:** 坐在你旁边的女生是谁？ Zuò zài nǐ pángbiān de nǚshēng shì shéi?

   B: 她是这学期才来的 Tā shì zhè xuéqī cái lái de _____。

   　　 a. 转学生 zhuǎnxué shēng

   　　 b. 校友 xiàoyǒu

   　　 c. 学妹 xuémèi

2. _____ **A:** 放学以后你要做什么？ Fàngxué yǐhòu nǐ yào zuò shénme?

   B: 我要去 Wǒ yào qù _____。

   　　 a. 分班 fēnbān

   　　 b. 转学 zhuǎnxué

   　　 c. 补习 bǔxí

3. _____ **A:** 你想去哪个班？ Nǐ xiǎng qù něi ge bān?

   B: 我比较想去 Wǒ bǐjiào xiǎng qù _____ 班 bān。

   　　 a. 文科 wén kē

   　　 b. 校队 xiàoduì

   　　 c. 社团 shètuán

4. _____ **A:** 请你一定要参加棒球 Qǐng nǐ yídìng yào cānjiā bàngqiú _____。

   B: 好啊！我最喜欢打棒球了。 Hǎo a! Wǒ zuì xǐhuan dǎ bàngqiú le.

   　　 a. 班 bān

   　　 b. 校队 xiàoduì

   　　 c. 学校 xuéxiào

5. _____ **A:** 我等一下要跟社团学妹 Wǒ děng yíxià yào gēn shètuán xuémèi _____，
   你要不要一起来 nǐ yào bú yào yìqǐ lái?

   B: 好啊！我有空，可以一起去。 Hǎo a! Wǒ yǒu kòng, kěyǐ yìqǐ qù.

   　　 a. 补习 bǔxí

   　　 b. 参加 cānjiā

   　　 c. 见面 jiànmiàn

3 Match each question on the left with the correct response on the right.

1. _____ 你读公立学校吗？
   Nǐ dú gōnglì xuéxiào ma?

2. _____ 你不知道排球校队很累吗？
   Nǐ bù zhīdào páiqiú xiàoduì hěn lèi ma?

3. _____ 张华是不是参加了篮球校队？
   Zhāng Huá shì bú shì cānjiā le lánqiú
   xiàoduì?

4. _____ 唉！物理怎么这么难？我一点儿都不懂。
   Āi! Wùlǐ zěnme zhème nán? Wǒ yìdiǎnr
   dōu bù dǒng.

5. _____ 我要跟校队的学长吃饭，你也一起来吧！
   Wǒ yào gēn xiàoduì de xuézhǎng chīfàn,
   nǐ yě yìqǐ lái ba!

6. _____ 你到法国了吗？   Nǐ dào Fǎguó le ma?

A. 累是累，可是我就想参加。
   Lèi shì lèi, kěshì wǒ jiù xiǎng cānjiā.

B. 你要不要跟我一起去补习？
   Nǐ yào bú yào gēn wǒ yìqǐ qù bǔxí?

C. 我跟他们不熟，你去就好。
   Wǒ gēn tāmen bù shú, nǐ qù jiù hǎo.

D. 是啊！他打得很好。
   Shì a! Tā dǎde hěn hǎo.

E. 不，我是私立学校的学生。
   Bù, wǒ shì sīlì xuéxiào de xuéshēng.

F. 还没，我现在还在意大利等火车。
   Hái méi, wǒ xiànzài hái zài Yìdàlì
   děng huǒchē.

4 Organize the subjects into their correct category by listing their corresponding letter on the lines provided.

1. 文科 wén kē   2. 理科 lǐ kē

_____   _____

_____   _____

                       _____

A. 地理 dìlǐ

B. 生物 shēngwù

C. 历史 lìshǐ

D. 化学 huàxué

E. 物理 wùlǐ

5 Look at Guo Bosen's schedule and answer the questions that follow.

郭柏森的行事历 Guō Bósēn de xíngshì lì

2 / 10 (一)	2 / 11 (二)	2 / 12 (三)	2 / 13 (四)	2 / 14 (五)
早上体育课记得借足球。下午文学课考试。Zǎoshàng tǐyù kè jìde jiè zúqiú. Xiàwǔ wénxuékè kǎoshì.	晚上地理考试。下个星期考历史。Wǎnshàng dìlǐ kǎoshì. Xiàge xīngqī kǎo lìshǐ.	放学以后六点半棒球校队练习。Fàngxué yǐhòu liù diǎn bàn bàngqiú xiàoduì liànxí.	参加校队学姐的生日晚会。Cānjiā xiàoduì xuéjiě de shēngrì wǎnhuì.	和女朋友吃晚餐以后看电影"爱情地图"。Hé nǚpéngyou chī wǎncān yǐhòu kàn diànyǐng "Àiqíng dìtú".

1. ____ 郭柏森是什么班的学生？ Guō Bósēn shì shénme bān de xuésheng?
   A. 文科班 wénkēbān
   B. 理科班 lǐkēbān
   C. 体育班 tǐyùbān

2. ____ 郭柏森星期五要去看的电影是什么片？
   Guō Bósēn Xīngqīwǔ yào qù kànde diànyǐng shì shénme piàn?
   A. 动作片 dòngzuòpiàn
   B. 科幻片 kēhuànpiàn
   C. 浪漫爱情片 làngmàn àiqíngpiàn

3. ____ 这个星期没有哪一科考试？ Zhèi ge xīngqī méiyǒu nǎ yì kē kǎoshì?
   A. 文学 wénxué
   B. 历史 lìshǐ
   C. 地理 dìlǐ

4. ____ 郭柏森星期几参加校队练习？ Guō Bósēn xīngqī jǐ cānjiā xiàoduì liànxí?
   A. 星期二 Xīngqī'èr
   B. 星期三 Xīngqīsān
   C. 星期四 Xīngqīsì

5. _____ 他是怎么认识星期四生日的学姐的?

Tā shì zěnme rènshi Xīngqīsì shēngrì de xuéjiě de?

    A. 补习班 bǔxíbān

    B. 棒球校队 bàngqiú xiàoduì

    C. 生日晚会 shēngrì wǎnhuì

6. _____ 郭柏森哪天晚上没有事情?　Guō Bósēn něi tiān wǎnshang méiyǒu shìqing?

    A. 星期一 Xīngqīyī

    B. 星期三 Xīngqīsān

    C. 星期五 Xīngqīwǔ

7. _____ 郭柏森跟谁去看电影?　Guō Bósēn gēn shéi qù kàn diànyǐng?

    A. 学姐 xuéjiě

    B. 校友 xiàoyǒu

    C. 女朋友 nǚpéngyou

8. _____ 郭柏森这个星期的体育课做什么运动?

Guō Bósēn zhèi ge xīngqī de tǐyùkè zuò shénme yùndòng?

    A. 足球 zúqiú

    B. 棒球 bàngqiú

    C. 排球 páiqiú

6 **Combine the following sentences using the particle 得 *de*.**

Lìzi: 我的头很痛。我没办法睡觉。

Wǒde tóu hěn tòng. Wǒ méi bànfǎ shuìjiào.

<u>我的头痛得我没办法睡觉。</u>

Wǒde tóu tòng de wǒ méi bànfǎ shuìjiào.

1. 我现在很累。我不想说话。

Wǒ xiànzài hěn lèi. Wǒ bù xiǎng shuōhuà.

2. 她很困。她上课一直打瞌睡。

Tā hěn kùn. Tā shàngkè yìzhí dǎ kēshuì.

＿＿＿＿＿＿＿＿＿＿＿＿＿＿＿＿＿＿＿＿＿＿＿＿＿＿＿＿＿＿＿＿＿＿＿

3. 恐怖片恐怖。恐怖片让他没办法睡觉。

Kǒngbùpiàn kǒngbù. Kǒngbùpiàn ràng tā méi bànfǎ shuìjiào.

＿＿＿＿＿＿＿＿＿＿＿＿＿＿＿＿＿＿＿＿＿＿＿＿＿＿＿＿＿＿＿＿＿＿＿

4. 爷爷很急。爷爷没换衣服就出门了。

Yéye hěn jí. Yéye méi huàn yīfu jiù chūmén le.

＿＿＿＿＿＿＿＿＿＿＿＿＿＿＿＿＿＿＿＿＿＿＿＿＿＿＿＿＿＿＿＿＿＿＿

5. 她太忙了。她没有空帮妈妈照顾妹妹。

Tā tài máng le. Tā méiyǒu kòng bāng māma zhàogù mèimei.

＿＿＿＿＿＿＿＿＿＿＿＿＿＿＿＿＿＿＿＿＿＿＿＿＿＿＿＿＿＿＿＿＿＿＿

6. 王青青跟我很熟。王青青跟我什么事都一起做。

Wáng Qīngqīng gēn wǒ hěn shú. Wáng Qīngqīng gēn wǒ shénme shì dōu yìqǐ zuò.

＿＿＿＿＿＿＿＿＿＿＿＿＿＿＿＿＿＿＿＿＿＿＿＿＿＿＿＿＿＿＿＿＿＿＿

7. 校长的事情太多了。校长都没有机会和校友见面。

Xiàozhǎng de shìqing tài duō le. Xiàozhǎng dōu méiyǒu jīhuì hé xiàoyǒu jiànmiàn.

＿＿＿＿＿＿＿＿＿＿＿＿＿＿＿＿＿＿＿＿＿＿＿＿＿＿＿＿＿＿＿＿＿＿＿

7 Answer the following questions based on what you learned in the Culture Window section of your student textbook.

1. How long are the various study abroad programs in China?

   ＿＿＿＿＿＿＿＿＿＿＿＿＿＿＿＿＿＿＿＿＿＿＿＿＿＿＿＿

2. What types of classes are typically offered for international students in China?

   ＿＿＿＿＿＿＿＿＿＿＿＿＿＿＿＿＿＿＿＿＿＿＿＿＿＿＿＿

3. In recent years, the number of foreign students in China has risen by how much each year?

   ＿＿＿＿＿＿＿＿＿＿＿＿＿＿＿＿＿＿＿＿＿＿＿＿＿＿＿＿

8 Answer the following questions based on your own experiences and opinions.

1. 你有没有什么特别想做，但是还没去做的事情？
   Nǐ yǒu méiyǒu shénme tèbié xiǎng zuò, dànshì hái méi qù zuò de shìqing?

   ＿＿＿＿＿＿＿＿＿＿＿＿＿＿＿＿＿＿＿＿＿＿＿＿＿＿＿＿

2. 你去补习班补习吗？你补哪科？
   Nǐ qù bǔxíbān bǔxí ma? Nǐ bǔ něi kē?

   ＿＿＿＿＿＿＿＿＿＿＿＿＿＿＿＿＿＿＿＿＿＿＿＿＿＿＿＿

3. 你周末最常做的事情是什么？
   Nǐ zhōumò zuì cháng zuò de shìqing shì shénme?

   ＿＿＿＿＿＿＿＿＿＿＿＿＿＿＿＿＿＿＿＿＿＿＿＿＿＿＿＿

Unit 3 Lesson C

1 Write A on the line provided if the sentence would be spoken by the person who makes the phone call, and B if it would be spoken by the person who answers the phone.

1. _____ 他在洗澡，你等一下再打吧！　Tā zài xǐzǎo, nǐ děng yíxià zài dǎ ba!

2. _____ 请问萧力伟在家吗？　Qǐngwèn Xiāo Lìwěi zài jiā ma?

3. _____ 这里没有这个人，你打错了。　Zhèli méiyǒu zhèi ge rén, nǐ dǎcuò le.

4. _____ 你是哪位？　Nǐ shì něi wèi?

5. _____ 对不起，我打错了。　Duìbuqǐ, wǒ dǎcuò le.

6. _____ 等她回来，我叫她给你回电话。　Děng tā huílái, wǒ jiào tā gěi nǐ huí diànhuà.

2 Select the word that best completes each sentence below. Write the Chinese character(s) on the line provided.

准备 zhǔnbèi	孤儿院 gū'éryuàn	等一下 děng yíxià
留言 liúyán	养老院 yǎnglǎoyuàn	

1. 周末我去 _____ 教小孩数学。Zhōumò wǒ qù __ jiāo xiǎohái shùxué.

2. 他明天才回家，你要不要 _____。Tā míngtiān cái huíjiā, nǐ yào bú yào __.

3. 妈妈去 _____ 照顾老人。Māma qù __ zhàogù lǎorén.

4. 请 _____，我马上叫他回来。Qǐng __ wǒ mǎshàng jiào tā huílái.

5. 我要去 _____ 考试了。Wǒ yào qù __ kǎoshì le.

3 Read the following sentences and choose the option that provides the best explanation or summary of each statement.

1. _____ 这里没有这个人。 Zhèlǐ méiyǒu zhèi ge rén.

    A. 电话占线。Diànhuà zhànxiàn.

    B. 打错电话。Dǎcuò diànhuà.

    C. 给他留言。Gěi tā liúyán.

2. _____ 妈妈叫钧莉回家吃饭。 Māma jiào Jūn Lì huíjiā chīfàn.

    A. 钧莉是妈妈的名字。 Jūn Lì shì māma de míngzi.

    B. 妈妈要钧莉回家吃饭。 Māma yào Jūn Lì huíjiā chīfàn.

    C. 钧莉已经回家吃饭了。 Jūn Lì yǐjīng huíjiā chīfàn le.

3. _____ 妹妹很渴，她想再喝一杯果汁。 Mèimei hěn kě, tā xiǎng zài hē yìbēi guǒzhī.

    A. 妹妹已经喝了果汁，但是她想喝更多。

    Mèimei yǐjīng hēle guǒzhī, dànshì tā xiǎng hē gèng duō.

    B. 妹妹还没有喝果汁，所以她想喝一杯。

    Mèimei hái méiyǒu hē guǒzhī, suǒyǐ tā xiǎng hē yìbēi.

    C. 妹妹喝了一杯果汁以后就不渴了。

    Mèimei hēle yìbēi guǒzhī yǐhòu jiù bù kě le.

4. _____ 这部电影好看得让我又去看了一次。

    Zhèi bù diànyǐng hǎokàn de ràng wǒ yòu qù kàn le yícì.

    A. 这部电影我不只看一次。 Zhèi bù diànyǐng wǒ bùzhǐ kàn yícì.

    B. 这部电影我只看了一次。 Zhèi bù diànyǐng wǒ zhǐ kànle yícì.

    C. 看了这部电影以后，我还想去看另一部。

    Kànle zhèi bù diànyǐng yǐhòu, wǒ hái xiǎng qù kàn lìng yíbù.

5. _____ 那些志愿者不只去养老院陪老人聊天，还去孤儿院教小孩数学。

   Nàxiē zhìyuànzhě bùzhǐ qù yǎnglǎoyuàn péi lǎorén liáotiān, hái qù gū'éryuàn jiāo

   xiǎohái shùxué.

   A. 那些志愿者只去孤儿院教小孩数学。

   　　Nàxiē zhìyuànzhě zhǐ qù gū'éryuàn jiāo xiǎohái shùxué.

   B. 志愿者都不去养老院和孤儿院。

   　　Zhìyuànzhě dōu bú qù yǎnglǎoyuàn hé gū'éryuàn.

   C. 那些人去养老院和孤儿院服务。

   　　Nàxiē rén qù yǎnglǎoyuàn hé gū'éryuàn fúwù.

6. _____ 国诚不知道哥哥几点回来。　Guóchéng bù zhīdào gēge jǐ diǎn huílái.

   A. 国诚想知道哥哥回来的时间。　Guóchéng xiǎng zhīdào gēge huílái de shíjiān.

   B. 国诚不知道哥哥回来的时间。　Guóchéng bù zhīdào gēge huílái de shíjiān.

   C. 国诚不记得哥哥回来的时间。　Guóchéng bú jìdé gēge huílái de shíjiān.

7. _____ 彦志不只参加摄影社，还去了棒球校队。

   Yànzhì bùzhǐ cānjiā shèyǐngshè, hái qùle bàngqiú xiàoduì.

   A. 摄影社和棒球校队，彦志都参加。

   　　Shèyǐngshè hé bàngqiú xiàoduì, Yànzhì dōu cānjiā.

   B. 棒球校队和摄影社，彦志只去了一个。

   　　Bàngqiú xiàoduì hé shèyǐngshè, Yànzhì zhǐ qùle yí ge.

   C. 彦志参加摄影社以后，还想参加棒球校队。

   　　Yànzhì cānjiā shèyǐngshè yǐhòu, hái xiǎng cānjiā bàngqiú xiàoduì.

4 Review the phone conversation between Mr. Huang and Li Shanshan. Then read the message Mr. Huang leaves for his daughter. Answer the questions that follow.

①. 您好，请问黄群美在家吗？
Nínhǎo, qǐngwèn Huáng Qúnměi zài jiā ma?

②. 请问你是哪位？
Qǐngwèn nǐ shì něi wèi?

③. 我是群美的同学，我叫李珊珊。
Wǒ shì Qúnměi de tóngxué, wǒ jiào Lǐ Shānshān.

④. 她现在不在，你要留言吗？
Tā xiànzài bú zài, nǐ yào liúyán ma?

⑤. 好，谢谢您。Hǎo, xièxie nín.

Mr. Huang

群美 Qúnměi:

　　珊珊打电话问你明天去孤儿院做志愿工作的事情，你看到留言以后，回电话给她。

　　Shānshān dǎ diànhuà wèn nǐ míngtiān qù gū'éryuàn zuò zhìyuàn gōngzuò de shìqing, nǐ kàn dào liúyán yǐhòu, huí diànhuà gěi tā.

爸爸 bàba　　14:10

1. _____ 接电话的人是谁？ Jiē diànhuà de rén shì shéi?

    A. 珊珊 Shānshān

    B. 群美 Qúnměi

    C. 群美的爸爸 Qúnměi de bàba

2. _____ 珊珊为什么给群美打电话？ Shānshān wèishénme gěi Qúnměi dǎ diànhuà?

    A. 她想要留言给群美。 Tā xiǎng yào liúyán gěi qún měi.

    B. 她想跟群美的爸爸聊天。 Tā xiǎng gēn Qúnměi de bàba liáotiān.

    C. 她要问群美志愿工作的事。 Tā yào wèn Qúnměi zhìyuàn gōngzuò de shì.

3. _____ 图片(picture)里那张留言是谁写的？ Túpiàn li nèi zhāng liúyán shì shéi xiě de?

    A. 群美 Qúnměi

    B. 群美的爸爸 Qúnměi de bàba

    C. 珊珊 Shānshān

4. _____ 群美看到留言以后，应该会做什么？

    Qúnměi kàndào liúyán yǐhòu, yīnggāi huì zuò shénme?

    A. 回电话给珊珊。 Huí diànhuà gěi Shānshān.

    B. 叫爸爸回电话。 Jiào bàba huí diànhuà.

    C. 去孤儿院工作。 Qù gūéryuàn gōngzuò.

5. _____ 珊珊为什么留言？ Shānshān wèishénme liúyán?

    A. 因为群美不在家。 Yīnwèi Qúnměi bú zài jiā.

    B. 因为珊珊打错了。 Yīnwèi Shānshān dǎcuò le.

    C. 因为群美生病了，不能接电话。

    Yīnwèi Qúnměi shēngbìng le, bù néng jiē diànhuà.

5 Complete the following sentences using the pattern 不只...还... *bùzhǐ...hái...*, the words provided, and the depicted scenes.

 开车去玩 kāichē qù wán / 看电影 kàn diànyǐng

他们不只开车去玩，还去看电影。

Tāmen bùzhǐ kāichē qù wán, hái qù kàn diànyǐng.

慢跑 mànpǎo / 冲浪 chōnglàng   担心 dānxīn / 紧张 jǐnzhāng

1. 他们 Tāmen _____   2. 他 Tā _____

_____   _____

 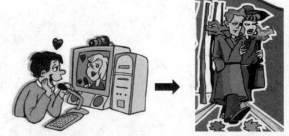

医生 yīshēng / 志愿者 zhìyuànzhě   上网聊天 shàngwǎng liáotiān / 出去散步
chūqù sànbù

3. 他 Tā _____   4. 他们 Tāmen _____

_____   _____

6 **Answer the questions below based on what you learned in the Culture Window section of your student textbook.**

1. Describe a traditional neighborhood in China.

   ＿＿＿＿＿＿＿＿＿＿＿＿＿＿＿＿＿＿＿＿＿＿＿＿＿＿＿＿＿＿＿＿＿＿＿＿

2. According to an old Chinese saying, a good neighbor is often better than whom?

   ＿＿＿＿＿＿＿＿＿＿＿＿＿＿＿＿＿＿＿＿＿＿＿＿＿＿＿＿＿＿＿＿＿＿＿＿

3. Why are many traditional neighborhoods disappearing nowadays?

   ＿＿＿＿＿＿＿＿＿＿＿＿＿＿＿＿＿＿＿＿＿＿＿＿＿＿＿＿＿＿＿＿＿＿＿＿

7 **Answer the following questions based on your own experiences and opinions.**

1. 你常跟家人提起你的朋友吗？你最常提起谁？

   Nǐ cháng gēn jiārén tíqǐ nǐde péngyou ma? Nǐ zuì cháng tíqǐ shéi?

   ＿＿＿＿＿＿＿＿＿＿＿＿＿＿＿＿＿＿＿＿＿＿＿＿＿＿＿＿＿＿＿＿＿＿＿＿

2. 哪部电影你看了以后还想再看一次？为什么？

   Něi bù diànyǐng nǐ kànle yǐhòu hái xiǎng zài kàn yí cì? Wèishénme?

   ＿＿＿＿＿＿＿＿＿＿＿＿＿＿＿＿＿＿＿＿＿＿＿＿＿＿＿＿＿＿＿＿＿＿＿＿

3. 你做志愿工作吗？你做什么样的志愿工作？

   Nǐ zuò zhìyuàn gōngzuò ma? Nǐ zuò shénmeyàng de zhìyuàn gōngzuò?

   ＿＿＿＿＿＿＿＿＿＿＿＿＿＿＿＿＿＿＿＿＿＿＿＿＿＿＿＿＿＿＿＿＿＿＿＿

Unit 4 Lesson A

1 **Fill in the blanks with the correct name for each item. Choose from the options in the box below, and write the Chinese character(s) on the line provided.**

东 dōng　　南 nán　　西 xī　　马路 mǎlù　　天桥 tiānqiáo

路灯 lùdēng　　十字路口 shízì lùkǒu　　红绿灯 hónglǜdēng

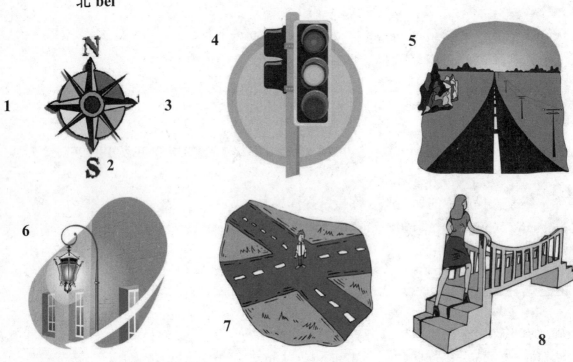

北 běi

1.＿＿＿＿＿＿＿＿＿＿＿＿＿＿＿＿　　2.＿＿＿＿＿＿＿＿＿＿＿＿＿＿＿＿

3.＿＿＿＿＿＿＿＿＿＿＿＿＿＿＿＿　　4.＿＿＿＿＿＿＿＿＿＿＿＿＿＿＿＿

5.＿＿＿＿＿＿＿＿＿＿＿＿＿＿＿＿　　6.＿＿＿＿＿＿＿＿＿＿＿＿＿＿＿＿

7.＿＿＿＿＿＿＿＿＿＿＿＿＿＿＿＿　　8.＿＿＿＿＿＿＿＿＿＿＿＿＿＿＿＿

2 Select the word or term that best completes each sentence below. Write the Chinese character(s) on the line provided.

从 cóng	远 yuǎn	离 lí	第 dì	过 guò	米 mǐ	大概 dàgài

然后 ránhòu　　行人 xíngrén　　天桥 tiānqiáo　　人行横道 rénxíng héngdào

1. 图书馆 ＿＿＿＿＿＿ 你家很远吗？ Túshūguǎn __ nǐ jiā hěn yuǎn ma?

2. 记得在 ＿＿＿＿＿＿ 三个路口左转。Jìde zài __ sānge lùkǒu zuǒ zhuǎn.

3. 博物馆离学校不 ＿＿＿＿＿＿，走两百 ＿＿＿＿＿＿ 就到了。

   Bówùguǎn lí xuéxiào bù __ , zǒu liǎngbǎi __ jiù dàole.

4. ＿＿＿＿＿＿ 书店走到美术馆 ＿＿＿＿＿＿ 要十五分钟。

   __ shūdiàn zǒu dào měishùguǎn __ yào shíwǔ fēnzhōng.

5. 开车的时候别开得太快，要注意路上的＿＿＿＿＿＿。

   Kāichē de shíhou bié kāide tài kuài yào zhùyì lù shàng de __.

6. 行人过马路的时候走 ＿＿＿＿＿＿ 或 ＿＿＿＿＿＿ 会比较保险。

   Xíngrén guò mǎlù de shíhou zǒu __ huò __ huì bǐjiào bǎoxiǎn.

7. 你先从这里往北走，＿＿＿＿＿＿ 往前走一百米，再＿＿＿＿＿＿ 两个红绿灯就

   到了。Nǐ xiān cóng zhèli wǎng běi zǒu, __wǎng qián zǒu yìbǎi mǐ, zài __ liǎng ge

   hónglǜdēng jiù dào le.

3 Combine the following sentences using the pattern 先... 再... *xiān...zài....*

Lìzi:	弟弟写功课，然后弟弟出去玩。Dìdi xiě gōngkè, ránhòu dìdi chūqù wán.

弟弟先写功课再出去玩。 Dìdi xiān xiě gōngkè zài chūqù wán.

1. 姐姐洗澡，然后姐姐睡觉。 Jiějie xǐzǎo, ránhòu jiějie shuìjiào.

_____

2. 我回家，然后我给他打电话。 Wǒ huíjiā, ránhòu wǒ gěi tā dǎ diànhuà.

_____

3. 我们补习，然后我们去吃晚饭。 Wǒmen bǔxí, ránhòu wǒmen qù chī wǎnfàn.

_____

4. 哥哥去博物馆，然后哥哥去美术馆。 Gēge qù bówùguǎn, ránhòu gēge qù měishùguǎn.

_____

5. 妈妈去买东西，然后妈妈回家做饭。 Māma qù mǎi dōngxi, ránhòu māma huíjiā zuòfàn.

_____

6. 你走到第四个十字路口，然后往右转。
Nǐ zǒudào dì sì ge shízì lùkǒu, ránhòu wǎng yòu zhuǎn.

_____

4 **Complete the sentences using the preposition 离 _lí_ and the words provided.**

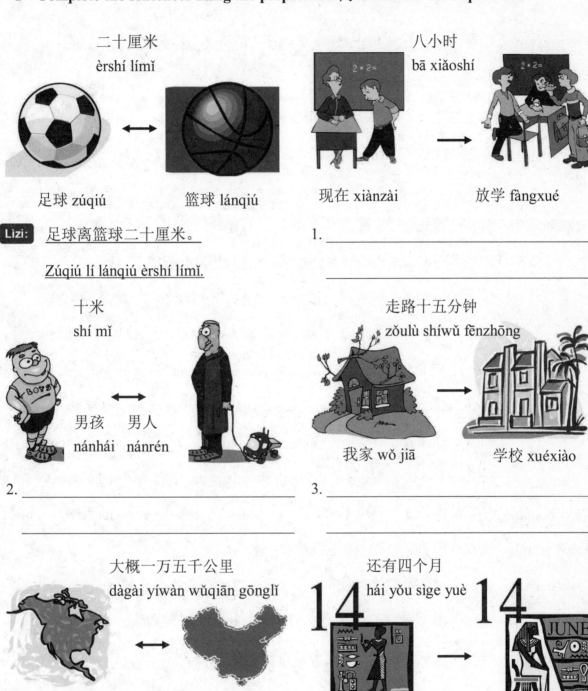

二十厘米
èrshí límǐ

八小时
bā xiǎoshí

足球 zúqiú   篮球 lánqiú

现在 xiànzài   放学 fàngxué

Lìzi: 足球离篮球二十厘米。

Zúqiú lí lánqiú èrshí límǐ.

1. _____

十米
shí mǐ

走路十五分钟
zǒulù shíwǔ fēnzhōng

男孩   男人
nánhái nánrén

我家 wǒ jiā   学校 xuéxiào

2. _____

3. _____

_____

_____

大概一万五千公里
dàgài yíwàn wǔqiān gōnglǐ

还有四个月
hái yǒu sìge yuè

美国 Měiguó   中国 Zhōngguó

4. _____

5. _____

_____

_____

5 **Read the dialogue below and answer the questions that follow.**

志祥 Zhìxiáng:　请问你知道保安火车站怎么走吗？　Qǐngwèn nǐ zhīdào Bǎo Ān huǒchēzhàn

zěnme zǒu ma?

丞琳 Chénglín:　你想怎么去？　Nǐ xiǎng zěnme qù?

志祥 Zhìxiáng:　公交车太少，而且又开得太慢了，所以我想走路去。　Gōngjiāochē tài shǎo,

érqiě yòu kāi de tài màn le, suǒyǐ wǒ xiǎng zǒulù qù.

丞琳 Chénglín:　你从这里往前走，先过两个路口，在第三个路口往右转，右转以后有一

个十字路口，那里的红绿灯坏了，所以过马路的时候要注意车子，再直

走大概八百米，然后你就会看到一个购物中心，火车站就在购物中心的

东边，离购物中心不远。　Nǐ cóng zhèli wǎng qián zǒu, xiān guò liǎng ge

lùkǒu, zài dì sān ge lùkǒu wǎng yòu zhuǎn, yòu zhuǎn yǐhòu yǒu yí ge shízì

lùkǒu, nàli de hónglǜdēng huài le, suǒyǐ guò mǎlù de shíhou yào zhùyì chēzi,

zài zhí zǒu dàgài bābǎi mǐ, ránhòu nǐ jiù huì kàndào yí ge gòuwù zhōngxīn,

huǒchēzhàn jiù zài gòuwù zhōngxīn de dōngbian, lí gòuwù zhōngxīn bù yuǎn.

志祥 Zhìxiáng:　这里离保安火车站远不远？　Zhèli lí Bǎo Ān huǒchēzhàn yuǎn bù yuǎn?

丞琳 Chénglín:　大概两公里吧！　Dàgài liǎng gōnglǐ ba!

志祥 Zhìxiáng:　从这里到那里要多久时间？　Cóng zhèli dào nàlǐ yào duōjiǔ shíjiān?

丞琳 Chénglín:　走路差不多要四十分钟。　Zǒulù chàbuduō yào sìshí fēnzhōng.

志祥 Zhìxiáng:　怎么这么远？我看我还是坐出租车去好了。　Zěnme zhème yuǎn? Wǒ

kàn wǒ háishì zuò chūzūchē qù hǎo le.

1. 购物中心在火车站哪边？购物中心离火车站很远吗？

   Gòuwù zhōngxīn zài huǒchēzhàn něi biān? Gòuwù zhōngxīn lí huǒchēzhàn hěn yuǎn ma?

   _____

2. 从这里到保安火车站的距离多长？走路要多久时间？

   Cóng zhèli dào Bǎo Ān huǒchēzhàn de jùlí duō cháng? Zǒulù yào duōjiǔ shíjiān?

   _____

3. 志祥不想搭什么交通工具去火车站？为什么？一开始(*At the beginning*)他想怎么去？

   Zhìxiáng bù xiǎng dā shénme jiāotōng gōngjù qù huǒchēzhàn? Wèishénme? Yì kāishǐ tā

   xiǎng zěnme qù?

   _____

4. 为什么志祥要注意其中(*among which*)一个十字路口？

   Wèishénme Zhìxiáng yào zhùyì qízhōng yíge shízì lùkǒu?

   _____

5. 从他们说话的地方到购物中心，一共要过几个路口？

   Cóng tāmen shuōhuà de dìfāng dào gòuwù zhōngxīn, yígòng yào guò jǐ ge lùkǒu?

   _____

6. 志祥最后(*at last*)要座什么交通工具去？

   Zhìxiáng zuìhòu yào zuò shénme jiāotōng gōngjù qù?

   _____

6 Complete the following sentences based on what you learned in the Culture Window section of your student textbook.

1. Hutongs are _____ that connect the main _____ to the

   residential areas.

2. The most famous hutongs in Beijing are the _____ Hutongs.

3. A siheyuan literally means a _____ surrounded by _____

   buildings.

7 Answer the following questions based on your own experiences and opinions.

1. 哪个同学家离你家最近？距离多远？   Něi ge tóngxué jiā lí nǐ jiā zuìjìn? Jùlí duō yuǎn?

   _____

2. 你敢晚上自己一个人看恐怖片吗？
   Nǐ gǎn wǎnshang zìjǐ yí ge rén kàn kǒngbùpiàn ma?

   _____

3. 你总是先做功课再吃晚饭吗？   Nǐ zǒngshì xiān zuò gōngkè zài chī wǎnfàn ma?

   _____

4. 从你的学校到最近的医院怎么走？
   Cóng nǐde xuéxiào dào zuìjìn de yīyuàn zěnme zǒu?

   _____

Unit 4 Lesson B

1 **Fill in the blanks with the correct name in Chinese characters for each part of the house.**

大门 dàmén　　阳台 yángtái　　窗户 chuānghù　　车库 chēkù　　信箱 xìnxiāng

1. _____

2. _____

3. _____

4. _____

5. _____

2 **Complete each sentence with 准时 *zhǔnshí* or 迟到 *chídào*.**

1. 我们真 _____，现在刚好五点半。Wǒmen zhēn __ xiànzài ganghao wǔdiǎn bàn.

2. 你快一点儿，我们就要 _____ 了。Nǐ kuài yìdiǎnr, wǒmen jiùyào __ le.

3. 我明天一定要 _____ 起床。Wǒ míngtiān yídìng yào __ qǐchuáng.

4. 来我的生日派对不可以 _____。Lái wǒde shēngrì pàiduì bù kěyǐ __.

5. 你真 _____，我以为你会晚到。Nǐ zhēn __ , wǒ yǐwéi nǐ huì wǎn dào.

3 Select the option that best completes each dialogue shown below. Record your choice on the line provided.

1. _____ **A:** 你昨天晚上去哪里玩？   Nǐ zuótiān wǎnshàng qù nǎli wán?

   B: a. 我参加政君的生日派对。   Wǒ cānjiā Zhèngjūn de shēngrì pàiduì.

   b. 回家的时候我迷路了。   Huíjiā de shíhou wǒ mílù le.

   c. 我想去政君家玩。   Wǒ xiǎng qù Zhèngjūn jiā wán.

2. _____ **A:** 你收到我寄的信了吗？   Nǐ shōudào wǒ jì de xìn le ma?

   B: a. 我去阳台找找。   Wǒ qù yángtái zhǎozhao.

   b. 信就快要收到了。   Xìn jiù kuài yào shōudào le.

   c. 我今天还没看信箱。   Wǒ jīntiān hái méi kàn xìnxiāng.

3. _____ **A:** 你住的平房好大。   Nǐ zhù de píngfáng hǎo dà.

   B: a. 对啊！这里还有电梯。   Duì a! Zhèli hái yǒu diàntī.

   b. 你可以上去五楼看看。   Nǐ kěyǐ shàngqù wǔ lóu kànkan.

   c. 前面还有院子和车库呢。   Qiánmian hái yǒu yuànzi hé chēkù ne.

4. _____ **A:** 明天请大家准时来上课。   Míngtiān qǐng dàjiā zhǔnshí lái shàngkè.

   B: a. 我是不会迟到的。   Wǒ shì bú huì chídào de.

   b. 我得回去准备准备。   Wǒ děi huíqù zhǔnbèi zhǔnbei.

   c. 可是我明天没空。   Kěshì wǒ míngtiān méi kòng.

5. _____ **A:** 你家有没有电梯？   Nǐ jiā yǒu méiyǒu diàntī?

   B: a. 坐电梯比走楼梯快。   Zuò diàntī bǐ zǒu lóutī kuài.

   b. 我家是平房，没有电梯。   Wǒ jiā shì píngfáng, méiyǒu diàntī.

   c. 保安说电梯在顶楼。   Bǎo'ān shuō diàntī zài dǐnglóu.

6. _____ **A:** 对不起，我迟到了。   Duìbuqǐ, wǒ chídào le.

   B: a. 没事，大家等你等了很久。   Méishì, dàjiā děng nǐ děngle hěn jiǔ.

   b. 你终于迟到了。   Nǐ zhōngyú chídào le.

   c. 我们以为你不来了。   Wǒmen yǐwéi nǐ bù lái le.

4 **Look at Wang Chunjiao's schedule and answer the questions that follow.**

春娇的行事历 Chūnjiāo de xíngshì lì

07:00	9:30	15:00	17:00	19:00
跟雅婷吃早餐 gēn Yǎtíng chī zǎocān	网球校队练习 wǎngqiú xiàoduì liànxí	合唱团比赛 héchàngtuán bǐsài	庭宇的生日派对 Tíngyǔ de shēngrì pàiduì	和志明学长看电影 hé Zhìmíng xuézhǎng kàn diànyǐng

1. ____ 春娇晚上七点要做什么？
   Chūnjiāo wǎnshang qī diǎn yào zuò shénme?
   A. 参加派对。 Cānjiā pàiduì.
   B. 和朋友吃饭。 Hé péngyou chīfàn.
   C. 跟学长看电影。 Gēn xuézhǎng kàn diànyǐng.

2. ____ 志明跟春娇在学校里是什么关系(relationship)？
   Zhìmíng gēn Chūnjiāo zài xuéxiào li shì shénme guānxi?
   A. 他们是同学。 Tāmen shì tóngxué.
   B. 他们不同年级。 Tāmen bù tóng niánjí.
   C. 他们不同学校。 Tāmen bù tóng xuéxiào.

3. ____ 春娇七点到早餐店，雅婷七点十分到。
   Chūnjiāo qī diǎn dào zǎocāndiàn, Yǎtíng qī diǎn shí fēn dào.
   A. 雅婷迟到。 Yǎtíng chídào.
   B. 春娇不准时。 Chūnjiāo bù zhǔnshí.
   C. 两个人很早到。 Liǎng ge rén dōu hěn zǎo dào.

4. ____ 比赛要一个小时五十分钟才结束，到庭宇家要二十五分钟，春娇能不能准时参加派对？ Bǐsài yào yíge xiǎoshí èrshí fēnzhōng cái jiéshù, dào Tíngyǔ jiā yào èrshíwǔ fēnzhōng, Chūnjiāo néng bù néng zhǔnshí cānjiā pàiduì?
   A. 能，她会早到十分钟。 Néng, tā huì zǎo dào shí fēnzhōng.
   B. 能，她会刚好五点到。 Néng, tā huì gānghǎo wǔdiǎn dào.
   C. 不能，她会晚到十五分钟。 Bù néng, tā huì wǎn dào shíwǔ fēnzhōng.

5 **Form questions using the underlined parts of the sentences below and the pattern 是...的 *shì...de.***

> Lìzi: 我昨天跟<u>好朋友</u>吃晚饭。 Wǒ zuótiān gēn hǎo péngyou chī wǎnfàn.
> <u>你昨天是跟谁吃晚饭的？</u> Nǐ zuótiān shì gēn shéi chī wǎnfàn de?

1. 姐姐<u>早上八点</u>出门。 Jiějie <u>zǎoshang bādiǎn</u> chūmén.

   _____

2. 她的个性<u>很活泼(lively)也很大方</u>。 Tāde gèxìng <u>hěn huópō yě hěn dàfāng</u>.

   _____

3. <u>我参加乐团的时候</u>认识他。 Wǒ <u>cānjiā yuètuán de shíhou</u> rènshi tā.

   _____

4. 我昨天<u>搭校车</u>去上学。 Wǒ zuótiān <u>dā xiàochē</u> qù shàngxué.

   _____

5. 爸爸<u>上个星期四</u>去日本。 Bàba <u>shàngge Xīngqīsì</u> qù Rìběn.

   _____

6. 上个周末他们去<u>韩国</u>旅行。 Shàngge zhōumò tāmen qù <u>Hánguó</u> lǚxíng.

   _____

6 Unscramble the words and characters below to create complete sentences.

Lìzi: 美国 Měiguó / 从 cóng / 他 tā / 来 lái

他从美国来。 Tā cóng Měiguó lái.

1. 来 lái / 你 nǐ / 啦 la / 终于 zhōngyú

_____

2. 买 mǎi / 东西 dōngxi / 了 le / 的 de / 送来 sònglái / 你 nǐ

_____

3. 法国 Fǎguó / 从 cóng / 她 tā / 去 qù / 意大利 Yìdàlì

_____

4. 我们 wǒmen / 旅行 lǚxíng / 是 shì / 的 de / 去 qù / 中国 Zhōngguó

_____

5. 书 shū / 姐姐 jiějie / 买 mǎi / 了 le，看 kàn / 借 jiè / 我 wǒ / 就 jiù

_____

6. 我 wǒ / 准时 zhǔnshí / 以为 yǐwéi / 我 wǒ / 会 huì，还是 háishì / 没 méi / 了 le / 想到 xiǎngdào / 迟到 chídào

_____

7 Complete the following sentences based on what you learned in the Culture Window section of your student textbook.

1. Feng shui literally means _____ and _____.

2. Most Chinese buildings face the _____.

3. According to feng shui, the _____ in one's house should never face the

   _____.

8 Look at the following pictures, and write Y if you have the item at your house and N if you don't.

1. ____ 院子 yuànzi   2. ____ 阳台 yángtái   3. ____ 信箱 xìnxiāng

4. ____ 楼梯 lóutī   5. ____ 窗户 chuānghù   6. ____ 车库 chēkù

Unit 4 Lesson C

1 Fill in the blanks to match each household item with the room it should be in.

A.

B.

C.

D.

E.

F.

G.

H.

I.

1. 厨房 chúfáng: _____

2. 客厅 kètīng: _____

3. 浴室 yùshì: _____

4. 书房 shūfáng: _____

名字: _____   日期: _____

2 Complete each sentence with the most appropriate word from the box below. Write the Chinese character(s) on the line provided.

书房 shūfáng	客厅 kètīng	厕所 cèsuǒ	厨房 chúfáng
饭厅 fàntīng	卧房 wòfáng	浴室 yùshì	洗衣房 xǐyīfáng

1. 爸爸正在 _____ 给我们做饭。Bàba zhèngzài __ gěi wǒmen zuòfàn.

2. 哥哥很累，他在_____睡觉。Gēge hěn lèi, tā zài __ shuìjiào.

3. 妈妈在 _____ 里看书。Māma zài __ lǐ kàn shū.

4. 需要洗的东西，我都放在 _____。

   Xūyào xǐ de dōngxi, wǒ dōu fàng zài __.

5. 妹妹的肚子很痛，所以我带她去上 _____。

   Mèimei de dùzi hěn tòng, suǒyǐ wǒ dài tā qù shàng __.

6. 姐姐和她的朋友在 _____ 玩电子游戏。

   Jiějie hé tāde péngyou zài __ wán diànzǐ yóuxì.

7. 晚餐时间到了，我们都在 _____ 里准备吃饭。

   Wǎncān shíjiān dào le, wǒmen dōu zài __ lǐ zhǔnbèi chīfàn.

8. 弟弟刚刚运动完，回家以后就去_____洗澡了。

   Dìdi gānggāng yùndòngwán, huíjiā yǐhòu jiù qù __ xǐzǎo le.

3 Complete each sentence using a word from the box below. Write the Chinese character on the line provided.

> 好 hǎo   到 dào   完 wán

1. 凯文吃饭吃了一个小时才吃 _____。Kǎiwén chīfàn chīle yí ge xiǎoshí cái chī __.

2. 只要一讲 _____ 喜欢的球队，他就很兴奋。

   Zhǐyào yì jiǎng __ xǐhuan de qiúduì, tā jiù hěn xīngfèn.

3. 爷爷叫丽香买的东西，她已经买 _____ 了。

   Yéye jiào Lìxiāng mǎi de dōngxi, tā yǐjīng mǎi __ le.

4. 亚晨昨天晚上在健身房看 _____ 王老师。

   Yàchén zuótiān wǎnshang zài jiànshēnfáng kàn __ Wáng lǎoshī.

5. 妈妈听 _____ 妹妹生病的事情，就担心得没办法睡觉。

   Māma tīng __ mèimei shēngbìng de shìqing, jiù dānxīn de méi bànfǎ shuìjiào

6. 爸爸已经看 _____ 电视了。Bàba yǐjīng kàn __ diànshì le.

7. 明天上课要带的东西，弟弟都已经准备 _____ 了。

   Míngtiān shàngkè yào dài de dōngxi, dìdi dōu yǐjīng zhǔnbèi __ le.

8. 我和他聊天聊到晚上十点还没聊_____。

   Wǒ hé tā liáotiān liáodào wǎnshang shídiǎn hái méi liáo __.

4 Rewrite the following questions using the pattern V 了没有 *V le méiyǒu.*

Lìzi: 妹妹洗澡了吗？　Mèimei xǐzǎo le ma?

妹妹洗澡了没有？　Mèimei xǐzǎo le méiyǒu?

1. 书伟回家了吗？　Shūwěi huíjiā le ma?

_____

2. 弟弟下课了吗？　Dìdi xiàkè le ma?

_____

3. 那本书他看了吗？　Nèi běn shū tā kàn le ma?

_____

4. 爸爸给妹妹讲故事了吗？　Bàba gěi mèimei jiǎng gùshì le ma?

_____

5. 我写的信妈妈收到了吗？　Wǒ xiě de xìn māma shōudào le ma?

_____

6. 你的同学给你打电话了吗？　Nǐde tóngxué gěi nǐ dǎ diànhuà le ma?

_____

7. 星期四的数学考试，你准备好了吗？　Xīngqīsì de shùxué kǎoshì, nǐ zhǔnbèi hǎo le ma?

_____

5 Combine the following sentences using the pattern 一边…一边… *yìbiān...yìbiān....*

Lìzi: 她在唱歌。她在跳舞。 Tā zài chànggē. Tā zài tiàowǔ.

<u>她一边唱歌，一边跳舞。</u> Tā yìbiān chànggē, yìbiān tiàowǔ.

1. 弟弟在打台球。弟弟在聊天。 Dìdi zài dǎ táiqiú. Dìdi zài liáotiān.

_____

2. 爸爸在吃饭。爸爸在看电视。 Bàba zài chīfàn. Bàba zài kàn diànshì.

_____

3. 爷爷在看书。爷爷在听音乐。 Yéye zài kàn shū. Yéye zài tīng yīnyuè.

_____

4. 哥哥在上课。哥哥在打瞌睡。 Gēge zài shàngkè. Gēge zài dǎkēshuì.

_____

5. 姐姐在走路。姐姐在发短信。 Jiějie zài zǒulù. Jiějie zài fā duǎnxìn.

_____

6. 妈妈在做饭。妈妈在讲电话。 Māma zài zuòfàn. Māma zài jiǎng diànhuà.

_____

7. 我和同学在散步。我们在聊天。 Wǒ hé tóngxué zài sànbù. Wǒmen zài liáotiān.

_____

6 Complete the following sentences based on what you learned in the Culture Window section of your student textbook.

1. A core value in China is 孝 *xiào,* or filial _____.

2. Chinese values are changing as the society shifts from a(n) _____ society to a(n) _____ one.

3. Nowadays, a young couple must take care of _____ pair(s) of aging parents.

7 Answer the following questions based on your own experiences and opinions.

1. 你常常在哪里吃饭？厨房还是客厅？
   Nǐ chángcháng zài nǎlǐ chīfàn? Chúfáng háishì kètīng?

   _____

2. 你家里有几个垃圾桶？ Nǐ jiā lǐ yǒu jǐ ge lājītǒng?

   _____

3. 你家有没有地下室？里面有什么东西？
   Nǐ jiā yǒu méiyǒu dìxiàshì? Lǐmian yǒu shénme dōngxi?

   _____

4. 你的房间里有什么家具？ Nǐde fángjiān lǐ yǒu shénme jiājù?

   _____

8 Read the dialogue below and answer the questions that follow.

宝琪 Bǎoqí： 安东，我是宝琪。你在做什么？ Āndōng, wǒ shì Bǎoqí. Nǐ zài zuò shénme?

安东 Āndōng： 我正在书房里看书。怎么了？ Wǒ zhèngzài shūfáng kàn shū. Zěnme le?

宝琪 Bǎoqí： 没什么，只是我刚刚看完一部恐怖片，现在我家只有我一个人，我觉得好

恐怖。 Méi shénme, zhǐshì wǒ gānggāng kànwán yí bù kǒngbùpiàn, xiànzài

wǒ jiā zhǐyǒu wǒ yí ge rén, wǒ juéde hǎo kǒngbù.

安东 Āndōng： 你父母都不在家吗？ Nǐ fù-mǔ dōu bú zài jiā ma?

宝琪 Bǎoqí： 他们出去买东西了。 Tāmen chūqù mǎi dōngxi le.

安东 Āndōng： 你弟弟呢？ Nǐ dìdi ne?

宝琪 Bǎoqí： 他刚刚还在浴室里洗澡，但是现在没看到他。是什么声音？你听见了没

有？ Tā gānggāng hái zài yùshì li xǐzǎo, dànshì xiànzài méi kàndào tā. Shì

shénme shēngyīn? Nǐ tīngjiàn le méiyǒu?

安东 Āndōng： 别紧张，那是音乐的声音。我刚刚一边看书，一边听音乐。 Bié jǐnzhāng,

nà shì yīnyuè de shēngyīn. Wǒ gānggāng yìbiān kàn shū, yìbiān tīng yīnyuè.

宝琪 Bǎoqí： 那我就放心了。 Nà wǒ jiù fàngxīn le.

安东 Āndōng： 你父母大概什么时候买好东西？ Nǐ fù-mǔ dàgài shénme shíhou mǎihǎo

dōngxi?

宝琪 Bǎoqí： 我想大概是一个小时以后。 Wǒ xiǎng dàgài shì yíge xiǎoshí yǐhòu.

安东 Āndōng： 要不要我去你家陪你？ Yào bú yào wǒ qù nǐ jiā péi nǐ?

宝琪 Bǎoqí： 好啊！你快一点来吧！ Hǎo a! Nǐ kuài yìdiǎn lái ba!

安东 Āndōng： 那我十分钟以后到你家。 Nà wǒ shí fēnzhōng yǐhòu dào nǐ jiā.

1. 宝琪为什么给安东打电话？ Bǎoqí wèishénme gěi Āndōng dǎ diànhuà?

   _____

2. 宝琪的弟弟在哪里？ Bǎoqí de dìdi zài nǎli?

   _____

3. 安东刚刚在做什么？ Āndōng gānggāng zài zuò shénme?

   _____

4. 宝琪的父母在做什么？他们多久会回到家？
   Bǎoqí de fù-mǔ zài zuò shénme? Tāmen duōjiǔ huì huí dào jiā?

   _____

5. 安东到宝琪家要多久时间？ Āndōng dào Bǎoqí jiā yào duōjiǔ shíjiān?

   _____

6. 宝琪听到的声音是从哪里来的？ Bǎoqí tīngdào de shēngyīn shì cóng nǎlǐ lái de?

   _____

7. 挂电话以后，安东要做什么？ Guà diànhuà yǐhòu, Āndōng yào zuò shénme?

   _____

Unit 5 Lesson A

1 **Fill in the blanks to match each item with the category it belongs to.**

A. 蔬菜 shūcài   B. 肉类 ròulèi   C. 罐头 guàntou

D. 海鲜 hǎixiān   E. 零食 língshí   F. 乳制品 rǔzhìpǐn

1. _____

2. _____

3. _____

4. _____

5. _____

6. _____

7. _____

8. _____

9. _____

10. _____

11. _____

12. _____

名字: _____ 日期: _____

2 Circle the words you can find within the following wordfind chart. Write the words on the lines provided. Note: Some words may share characters.

Lìzi:

肉 ròu	乳 rǔ	心 xīn	头 tou	菜 cài	海 hǎi
超 chāo	制 zhì	信 xìn	罐 guàn	单 dān	新 xīn
级 jí	品 pǐn	食 shí	冻 dòng	冷 lěng	鲜 xiān
市 shì	鲜 xiān	包 bāo	类 lèi	肉 ròu	熟 shú
场 chǎng	海 hǎi	菜 cài	蔬 shū	零 líng	食 shí

乳制品 rǔzhìpǐn

1. _____

2. _____   3. _____

4. _____   5. _____

6. _____   7. _____

8. _____   9. _____

10. _____   11. _____

3 Read the following sentences. Write Y if the person speaks confidently and N if the person does not.

1. _____   我不知道这里的海鲜是不是新鲜。

Wǒ bù zhīdào zhèli de hǎixiān shì bú shì xīnxiān.

2. _____   他做的菜一定很好吃。 Tā zuò de cài yídìng hěn hǎochī.

3. _____   弟弟不知道去博物馆要往左走还是往右走。

Dìdi bù zhīdào qù bówùguǎn yào wǎng zuǒ zǒu háishì wǎng yòu zǒu.

4. _____   这道菜可能好吃，也可能不好吃。

Zhèi dào cài kěnéng hǎochī, yě kěnéng bù hǎochī.

5. _____   这是我决定的事情，不会错的。 Zhè shì wǒ juédìng de shìqing, bú huì cuò de.

4 Complete each sentence using the most appropriate word from the box below.

> 换 huàn   决定 juédìng   新鲜 xīnxiān   零食 língshí   附近 fùjìn
>
> 算了 suàn le   极了 jí le   既然 jìrán   这里 zhèlǐ   乳制品 rǔzhìpǐn

1. 别吃 _____，马上就要吃晚饭了。Bié chī __ mǎshàng jiùyào chī wǎnfàn le.

2. 我能不能用这杯咖啡跟你 _____ 那杯果汁？

   Wǒ néng bù néng yòng zhèi bēi kāfēi gēn nǐ __ nèi bēi guǒzhī?

3. 上个星期买的海鲜现在已经不 _____ 了。

   Shàngge xīngqī mǎi de hǎixiān xiànzài yǐjīng bù __ le.

4. 哥哥只要一吃 _____，就会拉肚子。Gēge zhǐyào yì chī __, jiù huì lā dùzi.

5. 这个周末要去哪儿玩，你 _____ 吧！

   Zhèige zhōumò yào qù nǎr wán, nǐ __ ba!

6. 你家 _____ 有没有超市？Nǐ jiā __ yǒu méiyǒu chāoshì?

7. _____，你们去吧！我不想出门了。__, nǐmen qù ba! Wǒ bù xiǎng chūmén le.

8. 我 _____ 没有你想吃的零食。Wǒ __ méiyǒu nǐ xiǎng chī de língshí.

9. 妹妹的身体不舒服，妈妈担心 _____。

   Mèimei de shēntǐ bù shūfu, māma dānxīn __.

10. _____ 你不喜欢开车，就坐出租车。__ nǐ bù xǐhuan kāichē, jiù zuò chūzūchē.

5 Combine the following sentences using the pattern 既然…就… *jìrán...jiù....*

Lìzi: 你没做功课。你不能出去玩。

Nǐ méi zuò gōngkè. Nǐ bù néng chūqù wán.

既然你没做功课，你就不能出去玩。

Jìrán nǐ méi zuò gōngkè, nǐ jiù bù néng chūqù wán.

1. 老师不在家。你给老师留言。   Lǎoshī bú zài jiā. Nǐ gěi lǎoshī liúyán.

   _____

2. 爸爸的精神不好。你让爸爸休息一下。

   Bàba de jīngshén bù hǎo. Nǐ ràng bàba xiūxi yíxià.

   _____

3. 哥哥这么忙。我不请哥哥帮我了。   Gēge zhème máng. Wǒ bù qǐng gēge bāng wǒ le.

   _____

4. 妹妹不喜欢补习。妈妈不叫妹妹参加补习班了。

   Mèimei bù xǐhuan bǔxí. Māma bú jiào mèimei cānjiā bǔxíbān le.

   _____

5. 他也想去看电影。我们找他一起去吧！

   Tā yě xiǎng qù kàn diànyǐng. Wǒmen zhǎo tā yìqǐ qù ba.

   _____

6. 她要出门了。你别叫她准备午饭了。   Tā yào chūmén le. Nǐ bié jiào tā zhǔnbèi wǔfàn le.

   _____

6 **Read the dialogue below and answer the questions that follow.**

洋新 Yángxīn：之琳，你也来超市买东西啊？ Zhīlín, nǐ yě lái chāoshì mǎi dōngxi a?

之琳 Zhīlín：对，我来这里帮我妈妈买东西。Duì, wǒ lái zhèlǐ bāng wǒ māma mǎi dōngxi.

洋新 Yángxīn：你买了什么东西？ Nǐ mǎile shénme dōngxi?

之琳 Zhīlín：一些海鲜和蔬菜，我现在还要去乳制品和肉类那里看看。你呢？买了什么

东西？ Yìxiē hǎixiān hé shūcài, wǒ xiànzài hái yào qù rǔzhìpǐn hé ròulèi nàlǐ

kànkan. Nǐ ne? Mǎile shénme dōngxi?

洋新 Yángxīn：我买了两杯咖啡，还想买一些零食。 Wǒ mǎile liǎngbēi kāfēi, hái xiǎng mǎi

yìxiē língshí.

之琳 Zhīlín：你为什么买两杯咖啡？ Nǐ wèishénme mǎi liǎngbēi kāfēi?

洋新 Yángxīn：喔，我跟我弟弟一人一杯。 Ō, wǒ gēn wǒ dìdi yìrén yìbēi.

1. ＿＿＿ 之琳买了什么？ Zhīlín mǎile shénme?
   A.   海鲜和蔬菜 hǎixiān hé shūcài
   B.   乳制品和肉类 rǔzhìpǐn hé ròulèi
   C.   咖啡和零食 kāfēi hé língshí

2. ＿＿＿ 洋新在哪里看到之琳？ Yángxīn zài nǎli kàndào Zhīlín?
   A.   杂货店 záhuòdiàn
   B.   菜市场 càishìchǎng
   C.   超市 chāoshì

3. ＿＿＿ 洋新买的咖啡是要给谁的？ Yángxīn mǎi de kāfēi shì yào gěi shéi de?
   A.   他弟弟一个人喝两杯。 Tā dìdi yíge rén hē liǎngbēi.
   B.   他给之琳和弟弟一人一杯。 Tā gěi Zhīlín hé dìdi yìrén yìbēi.
   C.   他跟弟弟一人一杯。 Tā gēn dìdi yìrén yìbēi.

7 Select the best answer for each question based on what you learned in the Culture Window section of your student textbook.

1. _____ Dishes in the north of China often contain what?

   A. beef   B. chicken   C. seafood

2. _____ Dishes are sweeter in which part of China?

   A. northern   B. southern   C. eastern

3. _____ A main principle of Chinese cuisine is that in addition to having great taste, food should look beautiful and _____.

   A. be served hot   B. have many textures   C. smell good

8 Answer the following questions based on your own experiences and opinions.

1. 你妈妈常去菜市场还是超市买东西？
   Nǐ māma cháng qù càishìchǎng háishì chāoshì mǎi dōngxi?

   _____

2. 你喜欢吃蔬菜还是肉类？ Nǐ xǐhuan chī shūcài hái shì ròulèi?

   _____

3. 你吃海鲜会不会过敏(allergy)？ Nǐ chī hǎixiān huì bú huì guòmǐn?

   _____

Unit 5 Lesson B

1 **Match each seasoning with the appropriate taste from the box below. Note: Some seasonings may have the same taste.**

咸 xián　酸 suān　甜 tián　辣 là

1. 糖 táng: _____

2. 酱油 jiàngyóu: _____

3. 醋 cù: _____

4. 盐 yán: _____

5. 胡椒 hújiāo: _____

2 **Look at the names of dishes in the box below. Then, match the dish with the type of seafood used in it.**

A. 香辣蟹 xiānglàxiè　　B. 牡蛎汤 mǔlìtāng
C. 红烧鱼 hóngshāoyú　　D. 椒盐虾 jiāoyánxiā

1. _____　　2. _____　　3. _____　　4. _____

3 Identify the food by writing the name in Chinese characters on the line provided.
Choose from the options in the box below.

> 布丁 bùdīng　　蛋糕　　苹果派 píngguǒ pài

1. ＿＿＿＿＿＿＿＿＿＿＿　2. ＿＿＿＿＿＿＿＿＿＿＿　3. ＿＿＿＿＿＿＿＿＿＿＿

4 Use the pattern V 起来 *V qǐlái* to complete each sentence.

1. 他 ＿＿＿＿＿＿＿＿＿ 很累。（看）Tā __ hěn lèi. (kàn)

2. 爸爸做的菜 ＿＿＿＿＿＿＿＿ 不好吃，＿＿＿＿＿＿＿＿很好吃。（看，吃）

   Bàba zuò de cài __ bù hǎochī, __ hěn hǎochī. (kàn, chī)

3. 这首歌 ＿＿＿＿＿＿＿＿ 是法国歌。（听）　Zhèi shǒu gē __ shì Fǎguó gē. (tīng)

4. 咖啡放了很多糖，＿＿＿＿＿＿＿ 很甜吗？（喝）

   Kāfēi fàng le hěnduō táng, __ hěn tián ma? (hē)

5. 水煮鱼 ＿＿＿＿＿＿＿ 很香。（闻）Shuǐzhǔ yú __ hěn xiāng. (wén)

5 Complete the dialogue using the adverb 才 *cái* to disagree with what A is saying.

Lìzi: **A:** 妈妈说你的英文很好。（王平）

Māma shuō nǐde Yīngwén hěn hǎo. (Wáng Píng)

B: 不，我的英文不好，王平的英文才好呢。

Bù, wǒde Yīngwén bù hǎo, Wáng Píng de Yīngwén cái hǎo ne.

1. **A:** 这个新同学很漂亮。（美美）Zhèige xīn tóngxué hěn piàoliang. (Měiměi)

   B: _____。

2. **A:** 芥兰牛肉很容易做。（宫保鸡丁）Jièlán Niúròu hěn róngyì zuò. (Gōngbǎo Jīdīng)

   B: _____。

3. **A:** 李明很高。（李明的弟弟）Lǐ Míng hěn gāo. (Lǐ Míng de dìdi)

   B: _____。

4. **A:** 他家离学校很近。（我家）Tā jiā lí xuéxiào hěn jìn. (Wǒ jiā)

   B: _____。

6 Read the following sentences and choose the option that provides the best explanation or summary of each statement.

1. _____ 重要的是鱼一定要新鲜。 Zhòngyào de shì yú yídìng yào xīnxiān.

   A. 重的鱼才新鲜。 Zhòng de yú cái xīnxiān.

   B. 新鲜的鱼最好。 Xīnxiān de yú zuì hǎo.

   C. 新鲜的鱼一定很重。 Xīnxiān de yú yídìng hěn zhòng.

2. _____ 他看起来很累。 Tā kàn qǐlai hěn lèi.

   A. 我们觉得他很累。 Wǒmen juéde tā hěn lèi.

   B. 他看东西看得很累。 Tā kàn dōngxi kàn de hěn lèi.

   C. 他才刚起床，所以很累。 Tā cái gāng qǐchuáng, suǒyǐ hěn lèi.

7 Fill in the blanks with the Chinese names for the seasonings and seafood in the chart below. Then, use the chart to answer the questions that follow.

调味料 tiáowèiliào / 海鲜 hǎixiān	 A. ＿＿＿＿	 B. ＿＿＿＿	 C. ＿＿＿＿	 D. ＿＿＿＿
 1. ＿＿＿	志刚 Zhìgāng 士航 Shìháng	明芳 Míngfāng	明芳 Míngfāng 士航 Shìháng 志刚 Zhìgāng	士航 Shìháng 志刚 Zhìgāng
 2. ＿＿＿	士航 Shìháng	明芳 Míngfāng	士航 Shìháng	明芳 Míngfāng 士航 Shìháng 志刚 Zhìgāng
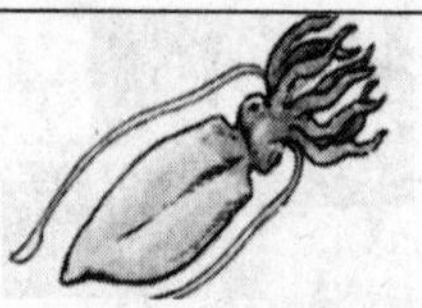 3. ＿＿＿	士航 Shìháng		明芳 Míngfāng	志刚 Zhìgāng 士航 Shìháng
 4. ＿＿＿	明芳 Míngfāng	志刚 Zhìgāng 士航 Shìháng	士航 Shìháng 志刚 Zhìgāng	明芳 Míngfāng
 5. ＿＿＿	明芳 Míngfāng 志刚 Zhìgāng 士航 Shìháng	志刚 Zhìgāng	士航 Shìháng	明芳 Míngfāng 士航 Shìháng

1. 谁在螃蟹里糖和醋都加了？ Shéi zài pángxiè lǐ táng hé cù dōu jiā le?

＿＿＿＿＿＿＿＿＿＿＿＿＿＿＿＿＿＿＿＿＿＿＿＿＿＿＿＿＿＿＿＿＿＿＿＿

2. 志刚在龙虾里加了什么？ Zhìgāng zài lóngxiā lǐ jiāle shénme?

＿＿＿＿＿＿＿＿＿＿＿＿＿＿＿＿＿＿＿＿＿＿＿＿＿＿＿＿＿＿＿＿＿＿＿＿

3. 看起来谁最喜欢吃咸的东西？ Kàn qǐlai shéi zuì xǐhuan chī xián de dōngxi?

＿＿＿＿＿＿＿＿＿＿＿＿＿＿＿＿＿＿＿＿＿＿＿＿＿＿＿＿＿＿＿＿＿＿＿＿

4. 谁做了糖醋鱼这道菜？ Shéi zuòle tángcùyú zhèi dào cài?

＿＿＿＿＿＿＿＿＿＿＿＿＿＿＿＿＿＿＿＿＿＿＿＿＿＿＿＿＿＿＿＿＿＿＿＿

5. 谁做了胡椒虾？ Shéi zuòle hújiāo xiā?

＿＿＿＿＿＿＿＿＿＿＿＿＿＿＿＿＿＿＿＿＿＿＿＿＿＿＿＿＿＿＿＿＿＿＿＿

6. 哪个海鲜里最多人加胡椒？ Něi ge hǎixiān lǐ zuì duō rén jiā hújiāo?

＿＿＿＿＿＿＿＿＿＿＿＿＿＿＿＿＿＿＿＿＿＿＿＿＿＿＿＿＿＿＿＿＿＿＿＿

7. 哪个调料最少人用？ Něi ge tiáoliào zuì shǎo rén yòng?

＿＿＿＿＿＿＿＿＿＿＿＿＿＿＿＿＿＿＿＿＿＿＿＿＿＿＿＿＿＿＿＿＿＿＿＿

8 Select the best answer for each question based on what you learned in the Culture Window section of your student textbook.

1. ＿＿＿＿ When do Chinese people like to have soup?

   A. before a meal   B. during a meal   C. after a meal

2. ＿＿＿＿ Chinese appetizers are usually served ＿＿＿＿＿＿.

   A. cold   B. hot   C. both

3. ＿＿＿＿ What is one major way Chinese meals are different than Western meals?

   A. Chinese never eat dessert.   B. All the dishes contain rice.

   C. All the dishes are shared.

9 Answer the following questions based on your own experiences and opinions.

1. 你吃海鲜吗？你喜欢什么海鲜？ Nǐ chī hǎixiān ma? Nǐ xǐhuan shénme hǎixiān?

   ＿＿＿＿＿＿＿＿＿＿＿＿＿＿＿＿＿＿＿＿＿＿＿＿＿＿＿＿＿＿＿＿＿＿＿＿＿＿

2. 你或你家人做菜的时候会不会加很多调料？
   Nǐ huò nǐ jiārén zuòcài de shíhou huì bú huì jiā hěn duō tiáoliào?

   ＿＿＿＿＿＿＿＿＿＿＿＿＿＿＿＿＿＿＿＿＿＿＿＿＿＿＿＿＿＿＿＿＿＿＿＿＿＿

3. 你喜欢不喜欢吃甜点？最喜欢吃的甜点是什么？
   Nǐ xǐhuan bù xǐhuan chī tiándiǎn? Zuì xǐhuan chī de tiándiǎn shì shénme?

   ＿＿＿＿＿＿＿＿＿＿＿＿＿＿＿＿＿＿＿＿＿＿＿＿＿＿＿＿＿＿＿＿＿＿＿＿＿＿

Unit 5 Lesson C

1 **Look at the pictures and write the correct answers on the lines.**

量词 liàngcí (*measure words*)：双 shuāng 个 ge 把 bǎ
餐具 cānjù：碗 wǎn 盘子 pánzi 刀子 dāozi 叉子 chāzi 筷子 kuàizi 勺子 sháozi 水杯 shuǐbēi 炒锅 chǎoguō

Lìzi: ___四个盘子___
___sìge pánzi___

1.

2.

3. _____ 4. _____ 5. _____

6. _____ 7. _____ 8. _____

2 Circle the words you can find within the following wordfind chart. Write the words on the lines provided. Note: Some words may share characters.

黄 huáng	玉 yù	米 mǐ	芹 qín	菜 cài
瓜 guā	胡 hú	萝 luó	卜 bo	蔬 shū
蒜 suàn	菇 gu	蘑 mó	土 tǔ	葱 cōng
西 xī	红 hóng	柿 shì	豆 dòu	洋 yáng

Lìzi:　　黄瓜 huángguā

1. ＿＿＿＿＿＿＿＿＿

2. ＿＿＿＿＿＿＿＿＿　　3. ＿＿＿＿＿＿＿＿＿

4. ＿＿＿＿＿＿＿＿＿　　5. ＿＿＿＿＿＿＿＿＿

6. ＿＿＿＿＿＿＿＿＿　　7. ＿＿＿＿＿＿＿＿＿

8. ＿＿＿＿＿＿＿＿＿　　9. ＿＿＿＿＿＿＿＿＿

3 Select the verb that best completes each sentence below. Write the Chinese character(s) on the line provided.

洗 xǐ　　加 jiā　　摆 bǎi　　放 fàng　　收拾 shōushí　　好像 hǎoxiàng

1. 我忘记 ＿＿＿＿＿ 酱料了。Wǒ wàngjì __ jiàngliào le.

2. 餐具要怎么 ＿＿＿＿＿才正确？Cānjù yào zěnme __ cái zhèngquè?

3. 我刚刚把篮球 ＿＿＿＿＿ 在客厅。Wǒ gānggāng bǎ lánqiú __ zài kètīng.

4. 你帮我 ＿＿＿＿＿ 一下卧房。Nǐ bāng wǒ __ yíxià wòfáng.

5. 姐姐昨天晚上 ＿＿＿＿＿ 没回家。Jiějie zuótiān wǎnshang __ méi huíjiā.

6. 我们吃完饭，妈妈就去＿＿＿＿＿碗。Wǒmen chīwán fàn, māma jiù qù __ wǎn.

4 **Draw a line connecting each vegetable to a way it can be cooked. As you draw the line, you cannot go backwards and you must take any turn that appears in your path. One line has been completed for you. Draw lines for the other four vegetables and then complete the sentences that follow.**

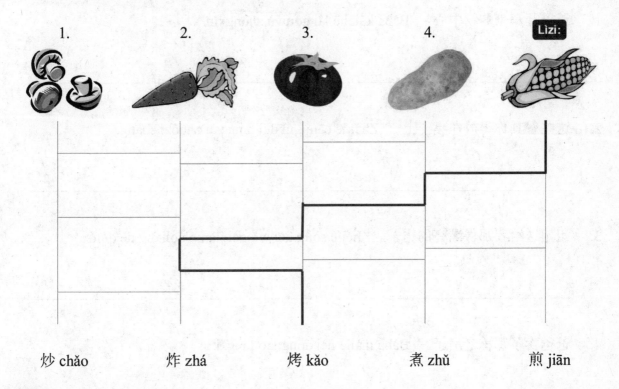

| 1. | 2. | 3. | 4. | Lìzi: |

炒 chǎo   炸 zhá   烤 kǎo   煮 zhǔ   煎 jiān

Lìzi: _____烤玉米 kǎo yùmǐ_____

1. _____

2. _____

3. _____

4. _____

5 Rewrite each sentence using the coverb 把 *bǎ*.

Lizi: 请你拿给我那本书。　Qǐng nǐ ná gěi wǒ nèi běn shū.
<u>请你把那本书拿给我。</u>　Qǐng nǐ bǎ nèi běn shū ná gěi wǒ.

1. 爸爸开车来购物中心。　Bàba kāichē lái gòuwù zhōngxīn.

＿＿＿＿＿＿＿＿＿＿＿＿＿＿＿＿＿＿＿＿＿＿＿＿＿＿＿

2. 这些餐具你得放在桌子上。　Zhèxiē cānjù nǐ děi fàng zài zhuōzi shàng.

＿＿＿＿＿＿＿＿＿＿＿＿＿＿＿＿＿＿＿＿＿＿＿＿＿＿＿

3. 姐姐送给我那件漂亮的裙子。　Jiějie sòng gěi wǒ nèi jiàn piàoliang de qúnzi.

＿＿＿＿＿＿＿＿＿＿＿＿＿＿＿＿＿＿＿＿＿＿＿＿＿＿＿

4. 爸爸卖了那栋老房子。　Bàba màile nèi dòng lǎo fángzi.

＿＿＿＿＿＿＿＿＿＿＿＿＿＿＿＿＿＿＿＿＿＿＿＿＿＿＿

5. 哥哥还没做完功课。　Gēge hái méi zuòwán gōngkè.

＿＿＿＿＿＿＿＿＿＿＿＿＿＿＿＿＿＿＿＿＿＿＿＿＿＿＿

6. 你回去准备准备明天要带的东西。
Nǐ huíqù zhǔnbèi zhǔnbei míngtiān yào dài de dōngxi.

＿＿＿＿＿＿＿＿＿＿＿＿＿＿＿＿＿＿＿＿＿＿＿＿＿＿＿

6 **Read the following sentences and choose the option that provides the best explanation or summary of each statement.**

1. _____ 幸亏你没去，要不然你一定会很生气。

   Xìngkuī nǐ méi qù, yàoburán nǐ yídìng huì hěn shēngqì.

   A. 你去了以后很生气。　Nǐ qùle yǐhòu hěn shēngqì.

   B. 如果你去了一定会很生气。　Rúguǒ nǐ qùle yídìng huì hěn shēngqì.

   C. 因为没办法去，所以你很生气。　Yīnwèi méi bànfǎ qù, suǒyǐ nǐ hěn shēngqì.

2. _____ 她希望坐在洁美的后面。　Tā xīwàng zuò zài Jiéměi de hòumian.

   A. 她在洁美的后面。　Tā zài Jiéměi de hòumian.

   B. 她希望洁美在后面。　Tā xīwàng Jiéměi zài hòumiàn.

   C. 她想坐在洁美的后面。　Tā xiǎng zuò zài Jiéměi de hòumian.

3. _____ 我记得今天要考试，不是吗？　Wǒ jìde jīntiān yào kǎoshì, bú shì ma?

   A. 我不确定今天有考试。　Wǒ bú quèdìng jīntiān yǒu kǎoshì.

   B. 我确定今天没有考试。　Wǒ quèdìng jīntiān méiyǒu kǎoshì.

   C. 我不记得今天有考试。　Wǒ bú jìde jīntiān yǒu kǎoshì.

4. _____ 店员把那件衣服拿来了。　Diànyuán bǎ nèi jiàn yīfu nálái le.

   A. 衣服是店员的。　Yīfu shì diànyuán de.

   B. 店员拿衣服给我。　Diànyuán ná yīfu gěi wǒ.

   C. 店员来这里拿衣服。　Diànyuán lái zhèli ná yīfu.

5. _____ 我快热死了，幸好你家有空调。　Wǒ kuài rè sǐ le, xìnghǎo nǐ jiā yǒu kōngtiáo.

   A. 因为你家没空调，所以我快热死了。

   Yīnwèi nǐ jiā méi kōngtiáo, suǒyǐ wǒ kuài rè sǐ le.

   B. 虽然你家有空调，我还是快热死了。

   Suīrán nǐ jiā yǒu kōngtiáo, wǒ hái shì kuài rè sǐ le.

   C. 因为你家有空调，所以让我没这么热了。

   Yīnwèi nǐ jiā yǒu kōngtiáo, suǒyǐ ràng wǒ méi zhème rè le.

7 Select the best answer for each question based on what you learned in the Culture Window section of your student textbook.

1. _____ What is something that is not normally used when eating at a Chinese dinner table?

   A. chopsticks   B. spoons   C. forks

2. _____ What is something one should never do with one's chopsticks?

   A. stick them upright in a bowl of rice   B. lay them over the top of the bowl

   C. place them next to the bowl

3. _____ Where should the head of the table sit?

   A. facing the entrance   B. near the entrance   C. wherever he / she wishes

8 Answer the following questions based on your own experiences and opinions.

1. 你喜欢吃蒜或是洋葱吗？ Nǐ xǐhuan chī suàn huòshì yángcōng ma?

   _____

2. 上中文课的时候，谁坐在你前面和后面？
   Shàng Zhōngwénkè de shíhou, shéi zuò zài nǐ qiánmian hé hòumian?

   _____

3. 吃完饭以后，你会不会帮忙收拾饭厅或是洗碗？
   Chīwán fàn yǐhòu, nǐ huì bú huì bāngmáng shōushí fàntīng huòshì xǐ wǎn?

   _____

Unit 6 Lesson A

1 **Label each picture with the correct word in Chinese characters and Pinyin.**

    A. 信箱 xìnxiāng   B. 邮箱 yóuxiāng   C. 信 xìn   D. 邮递员 yóudìyuán

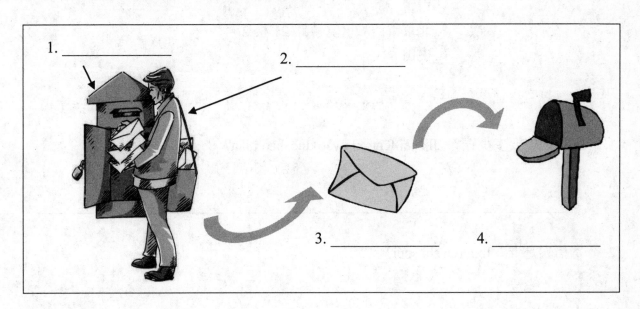

1. _____

2. _____

3. _____

4. _____

2 **Match each city on the right with its country.**

1. _____ 泰国 Tàiguó   A. 罗马 Luómǎ

2. _____ 日本 Rìběn   B. 香港 Xiānggǎng

3. _____ 英国 Yīngguó   C. 曼谷 Màngǔ

4. _____ 美国 Měiguó   D. 伦敦 Lúndūn

5. _____ 中国 Zhōngguó   E. 柏林 Bólín

6. _____ 德国 Déguó   F. 东京 Dōngjīng

7. _____ 意大利 Yìdàlì   G. 旧金山 Jiùjīnshān

3 **Look at the envelope below and answer the questions that follow.**

Glenda Kuo
875 Montreal Way
St. Paul, MN 55102
U.S.A.

白雪
北京市西城区真棒路 21 楼 2 号
中国

1. 寄这封信要多少钱?　Jì zhèi fēng xìn yào duōshao qián?

   _____

2. 寄信人是谁? Jìxìnrén shì shéi?

   _____

3. 收信人是谁? Shōuxìnrén shì shéi?

   _____

4. 这封信从哪个国家寄到哪个国家?　Zhèifēng xìn cóng něige guójiā jì dào něige guójiā?

   _____

5. 收信人住在哪个城市?　Shōuxìnrén zhù zài něige chéngshì?

   _____

4 Complete the following sentences using the pattern 一…就… *yī…jiù…*, the words provided, and the depicted scenes.

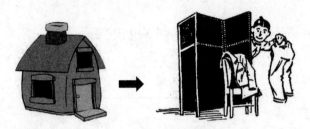

爸爸到家 bàba dào jiā / 换衣服 huàn yīfu

Lìzi:
爸爸一到家，就换衣服。

Bàba yí dào jiā, jiù huàn yīfu.

他们下课 tāmen xiàkè / 聊天 liáotiān

1. _____

_____

哥哥吃完饭 gēge chīwán fàn / 洗碗 xǐ wǎn

2. _____

_____

他没钱 tā méi qián / 去打工 qù dǎgōng

3. _____

_____

弟弟出门 dìdi chūmén / 迷路 mílù

4. _____

_____

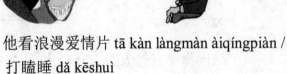

他看浪漫爱情片 tā kàn làngmàn àiqíngpiàn /
打瞌睡 dǎ kēshuì

5. _____

_____

5 Rewrite each sentence using the pattern 不得了 *bù dé liǎo*

> **Lìzi:** 泰国的电影，恐怖得要命。　Tàiguó de diànyǐng, kǒngbù de yào mìng.
> 泰国的电影，恐怖得不得了。　Tàiguó de diànyǐng, kǒngbù de bù dé liǎo.

1. 韩国的冬天真是冷得要命。　Hánguó de dōngtiān zhēnshì lěng de yào mìng.

   _____

2. 妈妈做的汉堡好吃极了。　Māma zuò de hànbǎo hǎochī jí le.

   _____

3. 爷爷发烧三天了，全家人都担心得要死。
   Yéye fāshāo sāntiān le, quán jiārén dōu dānxīn de yào sǐ.

   _____

4. 这部新的剧情片肉麻得要死，我才不要看。
   Zhèibù xīn de jùqíngpiàn ròumá de yào sǐ, wǒ cái búyào kàn.

   _____

5. 他的博客是学校里最有名的，他高兴死了。
   Tā de bókè shì xuéxiào lǐ zuì yǒumíng de, tā gāoxìng sǐ le.

   _____

6. 她的法国男朋友每天给她一个礼物，我觉得很浪漫。
   Tā de Fǎguó nánpéngyou měitiān gěi tā yíge lǐwù, wǒ juéde hěn làngmàn.

   _____

6 Select the option that best completes each dialogue shown below. Record your choice on the line provided.

1. _____ **A:** 你一放学就马上回家，知道吗？　Nǐ yí fàngxué jiù mǎshàng huíjiā, zhīdào ma?

　　　B: a. 好，我记得回家的路。　Hǎo, wǒ jìdé huíjiā de lù.

　　　　　b. 我不想这么早就回家。　Wǒ bù xiǎng zhème zǎo jiù huíjiā.

　　　　　c. 我一个人放学就会回家。　Wǒ yí gè rén fàngxué jiù huì huíjiā.

2. _____ **A:** 我听说她的男朋友在国外。Wǒ tīngshuō tāde nánpéngyou zài guówài.

　　　B: a. 为什么你要跟她说这件事？　Wèishénme nǐ yào gēn tā shuō zhèi jiàn shì?

　　　　　b. 她的男朋友英语说得不好。　Tā de nánpéngyou Yīngyǔ shuō de bùhǎo.

　　　　　c. 真的吗？我一点儿也不知道。　Zhēn de ma? Wǒ yìdiǎnr yě bù zhīdào.

3. _____ **A:** 我暑假打工一个小时只有一块钱。Wǒ shǔjià dǎgōng yíge xiǎoshí zhǐyǒu yí kuài qián.

　　　B: a. 这样太不合理了吧！　Zhèyàng tài bù hélǐ le ba!

　　　　　b. 所以你应该寒假去。　Suǒyǐ nǐ yīnggāi hánjià qù.

　　　　　c. 那是因为你买太多东西了。　Nà shì yīnwèi nǐ mǎi tài duō dōngxi le.

4. _____ **A:** 你怎么越来越胖？　Nǐ zěnme yuè lái yuè pàng?

　　　B: a. 我都没运动，所以现在还是一样胖。

　　　　　Wǒ dōu méi yùndòng, suǒyǐ xiànzài hái shì yíyàng pàng.

　　　　　b. 我以前是很胖，但是现在已经瘦了。

　　　　　Wǒ yǐqián shì hěn pàng, dànshì xiànzài yǐjīng shòu le.

　　　　　c. 我寒假的时候吃太多了，又没运动。

　　　　　Wǒ hánjià de shíhou chī tài duō le, yòu méi yùndòng.

5. _____ **A:** 我从来不去杂货店买东西。Wǒ cónglái bú qù záhuòdiàn mǎi dōngxi.

　　　B: a. 我好久没去了。　Wǒ hǎojiǔ méiqù le.

　　　　　b. 你是从哪里去的？　Nǐ shì cóng nǎlǐ qù de?

　　　　　c. 为什么你都不去？　Wèishénme nǐ dōu bú qù?

7 Decide whether the following statements are true (T) or false (F) based on what you learned in the Culture Window section of your student textbook. Correct any false statements.

1. _____ Hong Kong is known as the "Pearl of the Orient."

   _____

2. _____ Hong Kong residents all speak Mandarin.

   _____

3. _____ Hong Kong was a colony of the United States until 1997.

   _____

8 Answer the following questions based on your own experiences and opinions.

1. 美国的邮差穿不穿制服(*uniform*)？他们的制服是什么颜色的？
   Měiguó de yóuchāi chuān bù chuān zhìfú? Tāmen de zhìfú shì shénme yánsè de?

   _____

2. 你觉得中文课最认真的同学是谁？为什么他最认真？
   Nǐ juéde Zhōngwén kè zuì rènzhēn de tóngxué shì shéi? Wèishénme tā zuì rènzhēn?

   _____

3. 你最想去哪个国家旅行？为什么？ Nǐ zuì xiǎng qù něige guójiā lǚxíng? Wèishéme?

   _____

Unit 6 Lesson B

1 Select the word from the box that best completes each sentence below. Write the Chinese characters on the line provided.

餐盘 cānpán   吸管 xīguǎn   鸡块 jīkuài   玉米汤 yùmǐtāng   打包袋 dǎbāodài 洋葱圈 yángcōngquān   餐巾纸 cānjīnzhǐ   蕃茄酱 fānqiéjiàng

1. 你的薯条要加 _____ 还是胡椒？Nǐde shǔtiáo yào jiā __ háishì hújiāo？

2. 我要拿 _____ 擦(to wipe)手。Wǒ yào ná __ cā shǒu.

3. 帮我把饮料放到_____ 上。Bāng wǒ bǎ yǐnliào fàngdào __ shàng.

4. 给我一个 _____，我要把东西带回家吃。

    Gěi wǒ yíge __，wǒ yào bǎ dōngxi dài huíjiā chī.

5. 喝的东西，我不要可乐，我要 _____。

    Hēde dōngxi, wǒ bú yào kělè, wǒ yào __.

6. 我不喜欢洋葱的味道，所以我不要吃 _____。

    Wǒ bù xǐhuan yángcōng de wèidao, suǒyǐ wǒ bú yào chī __.

7. 喝饮料记得要拿_____。Hē yǐnliào jìde yào ná __.

8. 我今天想吃肉类，给我 _____ 吧！

    Wǒ jīntiān xiǎng chī ròulèi, gěi wǒ __ ba.

2 Label each picture with A, B, C or D.

A. 吃的 chī de	B. 喝的 hē de	C. 用的 yòng de	D. 酱料 jiàngliào

1. _____ 2. _____ 3. _____ 4. _____

5. _____ 6. _____ 7. _____ 8. _____

9. _____ 10. _____ 11. _____ 12. _____

3 Decide how each of the following foods are made. Write A if it is fried (炸 *zhá*), or B if it is roasted (烤 *kǎo*).

1._____ 鸡块 jīkuài

2._____ 松饼 sōngbǐng

3._____ 比萨饼 bǐsàbǐng

4._____ 洋葱圈 yángcōngquān

5._____ 薯条 shǔtiáo

6._____ 面包 miànbāo

7._____ 苹果派 píngguǒ pài

8._____ 百吉饼 bǎijíbǐng

4 The character 看 has two pronunciations: *kān* and *kàn*, with different meanings. Fill in the blanks with the correct Pinyin based on the context.

1. 暑假的时候，他们全家去露营，他们请我帮他们 __ 家。

    Shǔjià de shíhou, tāmen quánjiā qù lùyíng, tāmen qǐng wǒ bāng tāmen _____ jiā.

2. 我好想去 __ 那部电影。Wǒ hǎo xiǎng qù _____ nèibù diànyǐng.

3. 他 __ 到快餐店里有一个很漂亮的服务生。

    Tā _____ dào kuàicāndiàn lǐ yǒu yíge hěn piàoliang de fúwùshēng.

4. 我们很喜欢那个保姆，他 __ 孩子我们都很放心。

    Wǒmen hěn xǐhuan nèige bǎomǔ, tā _____ háizi wǒmen dōu hěn fàngxīn.

5. 你帮我 __ 看打包袋里有没有吸管。

    Nǐ bāng wǒ _____ kan dǎbāodài lǐ yǒu méiyǒu xīguǎn.

6. 我想去上厕所，能不能请你帮我 __ 一下我的包？

    Wǒ xiǎng qù shàng cèsuǒ, néng bù néng qǐng nǐ bāng wǒ _____ yíxià wǒde bāo?

7. 你 __ 这个背包漂亮吗？Nǐ _____ zhèige bēibāo piàoliang ma?

8. 我们家的狗很聪明，__ 门的时候，只要 __ 见不认识的人就会汪汪叫。

    Wǒmen jiā de gǒu hěn cōngming, _____ mén de shíhou, zhǐyào _____ jiàn

    bú rènshi de rén jiù huì wāngwāng jiào.

5 Read the dialogue below and answer the questions that follow.

巧音 Qiǎoyīn：你这个暑假有什么计划？Nǐ zhèige shǔjià yǒu shénme jìhuà?

芝爱 Zhīài：我要参加夏令营。你呢？Wǒ yào cānjiā xiàlìngyíng. Nǐ ne?

巧音 Qiǎoyīn：我要打工。Wǒ yào dǎgōng.

芝爱 Zhīài：除了打工，你还打算做什么？Chúle dǎgōng, nǐ hái dǎsuàn zuò shénme?

巧音 Qiǎoyīn：我没别的计划，因为我明年想去悉尼，没有赚够(to earn enough)旅行的

钱以前，我是不会休息的。Wǒ méi biéde jìhuà, yīnwèi wǒ míngnián xiǎng

qù Xīní, méiyǒu zhuàngòu lǚxíng de qián yǐqián, wǒ shì bú huì xiūxi de.

芝爱 Zhīài：你要打什么工？Nǐ yào dǎ shénme gōng?

巧音 Qiǎoyīn：我还不确定，可能做服务生或是店员吧！

Wǒ hái bú quèdìng, kěnéng zuò fúwùshēng huòshì diànyuán ba!

芝爱 Zhīài：我从来没打过工，这些工作听起来都好累。

Wǒ cónglái méi dǎguò gōng, zhèixiē gōngzuò tīngqǐlaí dōu hǎo lèi.

巧音 Qiǎoyīn：没办法，想去国外旅行就得努力(diligently)工作。

Méi bànfǎ, xiǎng qù guówài lǚxíng jiù děi nǔlì gōngzuò.

芝爱 Zhīài：对了，你不是很喜欢孩子吗？像是家教、保姆什么的，你做不做？

Duì le, nǐ bú shì hěn xǐhuan háizi ma? Xiàngshì jiājiào, bǎomǔ shénme de,

nǐ zuò bú zuò?

巧音 Qiǎoyīn：我很喜欢，特别是保姆。我很会看孩子呢！只是没有这个机会。

Wǒ hěn xǐhuan, tèbié shì bǎomǔ.Wǒ hěn huì kān háizi ne! Zhǐshì méiyǒu

zhèige jīhuì.

芝爱 Zhīài：我有个邻居暑假的时候要去巴黎，希望有人可以帮他看孩子。你愿意
的话，我帮你问问他。

Wǒ yǒu ge línjū shǔjià de shíhou yào qù Bālí, xīwàng yǒu rén kěyǐ bāng tā

kān háizi. Nǐ yuànyì dehuà, wǒ bāng nǐ wènwen tā.

巧音 Qiǎoyīn：好啊！谢谢你。　Hǎo a! Xièxie nǐ.

1. 谁暑假要去巴黎？　Shéi shǔjià yào qù Bālí?

_____

2. 巧音最喜欢什么样的打工？Qiǎoyīn zuì xǐhuan shénmeyàng de dǎgōng?

_____

3. 巧音会不会看孩子？她喜欢孩子吗？Qiǎoyīn huì bú huì kān háizi? Tā xǐhuan háizi ma?

_____

4. 芝爱暑假有什么计划？她有没有打过工？
Zhīài shǔjià yǒu shénme jìhuà? Tā yǒu méiyǒu dǎguò gōng?

_____

5. 巧音暑假除了打工以外，她有别的计划吗？是什么？
Qiǎoyīn shǔjià chúle dǎgōng yǐwài, tā yǒu biéde jìhuà ma? Shì shénme?

_____

6 Decide whether the following statements are true (T) or false (F) based on what you learned in the Culture Window section of your student textbook. Correct any false statements.

1. _____ Most Chinese students have part-time jobs to pay for their tuition.

_____

2. _____ Winter vacation in China is often from late December through January.

_____

3._____ A common part-time job for Chinese students is to work as a tutor.

_____

7 Answer the following questions based on your own experiences and opinions.

1. 你喜欢参加露营或是夏令营吗？为什么？
   Nǐ xǐhuan cānjiā lùyíng huòshì xiàlìngyíng ma? Wèishénme?

_____

_____

2. 今年的暑假你有什么计划？ Jīnnián de shǔjià nǐ yǒu shénme jìhuà?

_____

_____

3. 打工的话，像保姆、家教什么的，你喜欢吗？为什么？
   Dǎgōng dehuà, xiàng bǎomǔ、jiājiào shénme de, nǐ xǐhuan ma? Wèishénme?

_____

_____

Unit 6 Lesson C

1 Fill in each blank with the answer that best fits each picture.

A. 摄影师 shèyǐngshī   B. 服务生 fúwùshēng
C. 邮差 yóuchāi   D. 旅客 lǚkè

1. _____   2. _____   3. _____   4. _____

E. 长城 Cháng Chéng   F. 照片 zhàopiàn
G. 兵马俑 bīngmǎyǒng   H. 照相机 zhàoxiàngjī

5. _____   6. _____   7. _____   8. _____

2 **Write Y if the person speaks confidently and N if the person does not.**

1. ____ 我做饭做得太好吃了。   Wǒ zuòfàn zuò de tài hǎochī le.

2. ____ 我相信我的主意比别人的棒。   Wǒ xiāngxìn wǒde zhǔyì bǐ biérén de bàng.

3. ____ 我就知道这场比赛我一定会赢。   Wǒ jiù zhīdào zhèi chǎng bǐsài wǒ yídìng huì yíng.

4. ____ 别夸我了，这是我本来就得做的。   Bié kuā wǒ le, zhè shì wǒ běnlái jiù děi zuò de.

5. ____ 其实这没什么，我做的事别人也会做。 Qíshí zhè méi shénme, wǒ zuò de shì biérén yě huì zuò.

6. ____ 输赢不重要，我们从比赛中学到的才重要。   Shū yíng bú zhòngyào, wǒmen cóng bǐsài zhōng xuédào de cái zhòngyào.

3 **Select the word from the box that best completes each sentence below. Write the Chinese character(s) on the line provided.**

> 城市 chéngshì   乡下 xiāngxià   照片 zhàopiàn   风景 fēngjǐng
>
> 照相 zhàoxiàng   照相机 zhàoxiàngjī   摄影师 shèyǐngshī   旅游 lǚyóu

1. 这里的 _____ 好美。Zhèlǐ de __ hǎo měi.

2. 她以后想做一个 _____。Tā yǐhòu xiǎng zuò yíge __.

3. 首尔是韩国最大的 _____。Shǒu'ěr shì Hánguó zuì dà de __.

4. 美术馆里不可以吃东西和 _____。Měishùguǎn lǐ bù kěyǐ chī dōngxi hé __.

5. _____ 的空气很新鲜。__ de kōngqì hěn xīnxiān.

6. 这张 _____ 是我最喜欢的一张。

   Zhèizhāng __ shì wǒ zuì xǐhuan de yìzhāng.

7. 我一考完试就要去柏林 _____。Wǒ yì kǎowán shì jiùyào qù Bólín __.

8. 我把我的 _____ 放在家庭旅馆的桌子上了。

   Wǒ bǎ wǒde __ fàng zài jiātíng lǚguǎn de zhuōzi shàng le.

4 Select the verb from the box that best completes each sentence below. Write the Chinese character(s) on the line provided.

算 suàn	待 dāi	夸 kuā	传 chuán
住 zhù	受 shòu	继续 jìxù	睡着 shuìzháo

1. 让我 _____ 一下这里有多少钱。Ràng wǒ __ yíxià zhèli yǒu duōshǎo qián.

2. 事情多到做不完，我累得快 _____ 不了了。

   Shìqing duōdào zuò bù wán, wǒ lèide kuài __ bù liǎo le.

3. 你回去记得把照片 _____ 给我。Nǐ huíqù jìde bǎ zhàopiàn __ gěi wǒ.

4. 我 _____ 在中国的北京。Wǒ __ zài Zhōngguó de Běijīng.

5. 她吃完晚餐以后又 _____ 吃零食。

   Tā chīwán wǎncān yǐhòu yòu __ chī língshí.

6. 你先回家吧！我想在书店里多 _____ 一会儿。

   Nǐ xiān huíjiā ba! Wǒ xiǎng zài shūdiàn lǐ duō __ yíhuìr.

7. 他快要 _____ 了，你让他休息吧！Tā kuài yào __ le, nǐ ràng tā xiūxi ba!

8. 爸爸_____ 我做饭做得很好吃。Bàba __ wǒ zuòfàn zuòde hěn hǎochī.

5 Combine the following sentences using the pattern 才...就...*cái...jiù*....

Lìzi: 妈妈夸妹妹一句。妹妹得意得不得了。

Māma kuā mèimei yíjù. Mèimei déyì de bù dé liǎo.

妈妈才夸妹妹一句，妹妹就得意得不得了。

Māma cái kuā mèimei yíjù, mèimei jiù déyì de bù dé liǎo.

1. 我迟到一分钟。姐姐很生气。Wǒ chídào yì fēnzhōng. Jiějie hěn shēngqì.

_____

2. 她看书看了十分钟。她睡着了。Tā kànshū kànle shí fēnzhōng. Tā shuìzháo le.

_____

3. 弟弟在乡下住了一天。弟弟受不了了。Dìdi zài xiāngxià zhùle yìtiān. Dìdi shòubùliǎo le.

_____

4. 妹妹去补习班一次。妹妹不想去补习班了。

Mèimei qù bǔxíbān yí cì. Mèimei bù xiǎng qù bǔxíbān le.

_____

5. 他昨天去健身房一个小时。今天腿酸得几乎不能走路了。

Tā zuótiān qù jiànshēnfáng yíge xiǎoshí. Jīntiān tuǐ suān de jīhū bù néng zǒulù le.

_____

6 Decide whether the following statements are true (T) or false (F) based on what you learned in the Culture Window section of your student textbook. Correct any false statements.

1. _____ Suzhou and Hangzhou are China's most famous industrial cities.

   _____

2. _____ Hangzhou is situated to the southwest of Suzhou.

   _____

3. _____ Hangzhou has always been famous for its classical gardens.

   _____

7 Answer the following questions based on your own experiences and opinions.

1. 有机会去中国的话，你想看哪些景点？

   Yǒu jīhuì qù Zhōngguó dehuà, nǐ xiǎng kàn nǎxiē jǐngdiǎn?

   _____

2. 你比较喜欢待在城市还是乡下？为什么？

   Nǐ bǐjiào xǐhuan dāi zài chéngshì hái shì xiāngxià? Wèishénme?

   _____

3. 你的外公 / 外婆家在哪儿？那儿是乡下还是城市？

   Nǐde wàigōng / wàipó jiā zài nǎr? Nàr shì xiāngxià háishì chéngshì?

   _____

8 **Unscramble the words and characters below to create complete sentences.**

Lìzi: 待 dāi / 我 wǒ / 五 wǔ / 打算 dǎsuàn / 天 tiān / 这里 zhèlǐ / 在 zài

我打算在这里待五天。 Wǒ dǎsuàn zài zhèlǐ dāi wǔtiān.

1. 还 hái / 家 jiā / 爸爸 bàba / 才 cái / 到 dào / 多久 duōjiǔ / 要 yào

_____

2. 晚餐 wǎncān / 就 jiù / 他 tā / 吃 chī / 了 le / 才 cái / 刚 gāng / 饿 è / 完 wán

_____

3. 放 fàng / 的 de / 进 jìn / 书包 shūbāo / 里 lǐ / 我 wǒ / 不 bú / 照相机 zhàoxiàngjī

_____

4. 算是 suànshì / 景点 jǐngdiǎn / 长城 Chángchéng / 最 zuì / 可以 kěyǐ / 著名 zhùmíng / 的 de / 世界 shìjiè

_____

5. 在 zài / 城市 chéngshì / 我 wǒ / 住 zhù / 本来 běnlái / 想 xiǎng，住 zhù / 现在 xiànzài / 乡下 xiāngxià / 我 wǒ / 想 xiǎng / 在 zài

_____

6. 无聊 wúliáo / 这 zhèi / 电影 diànyǐng / 部 bù / 了 le / 死 sǐ，一半 yíbàn / 看了 kànle / 我 wǒ / 了 le / 睡着 shuìzháo / 就 jiù

_____